W0094767

Schuhe putzen

Kinder im zweiten Lebensjahr helfen uns auch gern beim Schuheputzen. Am Anfang lassen wir sie die Schuhe zuordnen, dann mit einer Bürste oder einem Lappen blank putzen.

Wenn die Kinder älter sind, können sie auch die Schuhcreme aus der Tube oder aus der Dose auf die Schuhe streichen und sie blank putzen.

> Durch das Einbeziehen des Kindes in Ihren Alltag und Ihre Aktivitäten sind Sie Vorbild und unterstützen und fördern die Entwicklung und die Kommunikationsfähigkeit des Kindes auf natürliche Art, sowohl was die Motorik als auch die soziale, sprachliche und geistige Entwicklung angeht.

Küchenarbeit

Bei der Hausarbeit sind die Kinder gern in unserer Nähe. Lassen Sie das Kind auf jeden Fall bei Ihnen in der Küche sein und dort spielen. Die Einjährigen hängen uns bei der Arbeit oft im wahrsten Sinne des Wortes an den Beinen. Sie haben gerade gelernt, sich aufzurichten und tun dies am liebsten an uns.

«Am Anfang hat es mich total genervt, wenn Sebastian sich an meinem Bein hingestellt hatte. Ich traute mich kaum zu bewegen, weil ich Angst hatte, daß er das Gleichgewicht verlieren könnte. Inzwischen sage ich ihm, daß ich mich jetzt von der Stelle bewege, er hält sich fest, und ich laufe mit ihm am Bein durch die Küche. Zum Glück findet er aber auch oft andere Dinge in der Küche wie z. B. Töpfe, mit denen er spielt.»

Welche Freiheiten Sie Ihrem Kind in der Küche einräumen, hängt von Ihrer Einstellung und Ihren Nerven ab.

«Wenn ich Josephine in der Küche machen lasse, spielt sie lange Zeit intensiv mit allen möglichen Sachen. Es sieht zwar danach aus, als ob eine Bombe eingeschlagen hat, aber das stört mich nicht so, als wenn ich ein nörgelndes Kind um mich hätte. Das Aufräumen danach macht mir nichts aus.»

Andere Eltern meinen, daß das Kind von Anfang an lernen soll, daß es nur bestimmte Dinge gibt, mit denen es spielen darf. Das Kind wird dies akzeptieren, wenn

- nicht zu viele Dinge in der Küche verboten sind;
- immer dasselbe verboten ist;
- Sie das Kind in Ihre Tätigkeiten möglichst oft miteinbeziehen.

Wenn die Küche aber zu einem ständigen Kampfplatz wird, sollten Sie überlegen, ob das Kind nicht vielleicht doch mehr Möglichkeiten zum Spielen braucht.

«Wir hatten das Kinderzimmer extra kindersicher und mit vielen schönen Spielsachen ausgestattet, damit das Kind dort spielt, während ich in Ruhe in der Küche arbeiten wollte. Dieser Traum hat sich leider nicht erfüllt. Robin schreit wie wild, wenn er dort bleiben soll. Nun ist er immer in der Küche bei mir, und am liebsten spielt er mit den Küchengeräten. Manches Spielzeug hätten wir uns schenken können.»

Die ersten Jahre will das Kind einfach oft in der Nähe der Erwachsenen sein. Wenn wir dies zulassen, wird es irgendwann von allein in ein anderes Zimmer gehen, um allein zu spielen. Je mehr wir aber versuchen, das Kind von uns fernzuhalten, desto mehr wird es an unserem «Rockzipfel» hängen und uns beobachten wollen. Es hat Angst, allein gelassen zu werden. Ihr Kind fühlt sich in Ihrer Nähe sicher. Es weiß:

> Die Eltern sind da, wenn ich sie brauche,
> deshalb brauche ich sie seltener.

«Was ist das?»

Einjährige Kinder deuten gern auf alle möglichen Dinge. Der Blick geht vom Gegenstand zum Erwachsenen und zurück. Über das Deuten gelangt das Kind zu der Frage, die die Welt erschließt: «Was ist das?»

Zeigen bedeutet,

- etwas wahrgenommen zu haben,
- etwas erreichen oder ergreifen zu wollen,
- eine Beziehung zwischen sich selbst und der Außenwelt herzustellen,
- etwas mit sich in Verbindung zu bringen.

Kinder wollen Dinge, auf die sie deuten, nicht unbedingt haben, sondern uns zu verstehen geben, daß sie sie gesehen haben. Es reicht manchmal zu sagen: «Ja, da ist der Topf.» Wenn sie mehr wollen, werden sie es uns ebenfalls zeigen.

Oft wird das Zeigen noch mit dem Wort «da» begleitet – ein erster Vorstoß in die verbale Umwelt mit dem Ziel,

- sich zu einem Objekt zu äußern,
- die Aufmerksamkeit der anderen darauf zu lenken,
- zu zeigen, daß man es gesehen hat.

Schneebesen ausprobieren

Der Schneebesen ist bei Kindern ein beliebtes Spielzeug.

«Unsere Tochter hat immer gern mit dem Schneebesen gespielt. Irgendwann hat sie ein Band dran befestigt und zieht ihn jetzt ständig hinter sich her.»

Ältere Kinder wollen auch schon mit dem Schneebesen rühren.

Flaschen aus- und einräumen

Wenn Ihr Kind vorsichtig mit zerbrechlichen Gegenständen umgeht, kann es Flaschen aus der Kiste aus- und einräumen und uns beim Entsorgen von Glas helfen.

Spielen mit Gefäßen

Für kleine Kinder sind Dosen, Plastikschüsseln und andere Behälter ein wichtiges Spielzeug.

Sie kochen, rühren und schütten damit. Und sie füllen und leeren die einzelnen Gefäße mit den unterschiedlichsten Dingen.

«*Unser Martin füllt besonders gern Kastanien in Dosen und benutzt sie als Kartoffeln, die er dann auf große Deckel legt. Jedes Familienmitglied bekommt so einen ‹Teller› und muß vor Beginn des Essens erst so tun, als ob es die ‹Kartoffeln› ißt.*»

Genausogut wie Kastanien kann das Kind Zapfen, Kirschkerne, Aprikosenkerne, Pfirsichkerne oder Dattelkerne nehmen. Sie haben den Vorteil, daß sie im Gegensatz zu den Kastanien nicht schrumpfen. Wenn Sie ängstlich sind, daß Ihr Kind noch immer alles in den Mund nimmt, warten Sie noch ein wenig, bevor Sie ihm die Kerne geben, obwohl selbst Kinder, die noch viel mit dem Mund «begreifen» wollen, normalerweise nichts verschlucken. Sie schlucken eher dann etwas runter, wenn man sich selbst erschrickt und hektisch auf sie zustürzt, um ihnen den Gegenstand aus dem Mund zu holen.

«*Philip spielt am liebsten im Zimmer seiner älteren Schwester. Am Anfang habe ich immer alle kleinen Gegenstände weggeräumt, weil er alles in den Mund nimmt. Aber er findet jedesmal einen kleinen Legostein oder etwas anderes, das er in den Mund steckt. Da er nichts runterschluckt, habe ich aufgehört, mir Sorgen zu machen.*»

In Zeiten, in denen Kinder gern schütten, kann man ihnen auch Reis oder Kürbiskerne geben. Die Kinder rühren sie gern um und füllen sie mit Löffeln von einem Behälter in einen anderen.

Das können auch die Baubecher aus dem Kinderzimmer sein. Mit ca. ein bis eineinhalb Jahren stapeln die Kinder gern Dosen wie Bauklötze aufeinander. Danach fangen sie an, Dinge aneinanderzufügen.

Die physikalischen Eigenschaften von Gegenständen, wie Material, Gewicht und Standfestigkeit, lernt das Kind nur durch Ausprobieren kennen. Denken Sie immer daran, daß diese Selbsterfahrung sehr wichtig ist. Im Spiel findet das Kind heraus, wie es mit Gegenständen angemes-

sen umgeht. Als Eltern können wir die Kinder dabei unterstützen, indem wir ihnen Gegenstände zum Ausprobieren geben.

> *Alles, was wir einem Kind beibringen,*
> *kann es nicht mehr lernen und selbst erfahren.*
> *(nach Piaget)*

Auch wenn wir das Spiel der Kinder manchmal nicht verstehen, sollten wir es unterstützen und nicht als sinnlos bezeichnen. Wenn das Kind z. B. Dinge auf den Boden wirft, will es vielleicht erforschen, warum manche

Gegenstände zerbrechen und andere nicht. Wir können dem Kind erklären: Das ist aus Glas und geht kaputt. Das ist aus Plastik und geht nicht kaputt. Manche Kinder akzeptieren das, andere wollen diese Aussage erst überprüfen.

Spielen mit Töpfen

Für die meisten Kinder sind Töpfe und Deckel eine wichtige Erfahrung. Mit knapp einem Jahr füllen die Kinder die Töpfe mit Löffeln und leeren sie wieder. Es bedeutet weniger Streß, die Töpfe anschließend wieder wegzuräumen, als das Spielen zu verbieten.

> Kinder, die zwischen ein und zwei Jahren alt sind, beschäftigen sich mit einer Sache ungefähr 15 Minuten, bevor sie etwas Neues wollen oder wir ihnen eine Variante der begonnenen Tätigkeit anbieten sollen.

Sie machen Krach, indem sie mit den Löffeln auf den Topf oder den Deckel trommeln. Sie prüfen, welcher Deckel zu welchem Topf gehört. Sie lernen die Koordination von Augen und Händen, wie man durch langsamere und behutsamere Bewegungen leiser klopfen kann, und probieren eigene Rhythmen aus, die durch die Persönlichkeit der Kinder geprägt sind. Bei vielen Kindern steigert sich das Selbstbewußtsein, wenn sie, so laut sie können, Krach machen dürfen. Ab und zu kann man dies vielleicht für kurze Zeit dulden und aushalten.

Für Ihr Kind ist es wichtig, wenn Sie
- echte Anteilnahme an seinem Tun zeigen, es also «wert»schätzen,
- Freude an seinem Tun zeigen,
- kein Ergebnis erwarten,
- seine Neugierde unterstützen,
- sich an Ihre eigene Kindheit erinnern,
- selbst in die Welt des Kindes eintauchen,
- seine Äußerungen ernst nehmen.

Wenn Gegenstände auf den Fußboden gefallen sind, lassen Sie sie das Kind selber wieder aufheben.

«Hanna spielt am liebsten mit den Küchengeräten auf dem Boden. Am Anfang habe ich immer schnell alles wieder weggeräumt, damit sie nicht über die Dinge stolpert. Inzwischen lasse ich sie machen, und sie hat gelernt, um die Sachen auf dem Boden einen Bogen zu machen, nachdem sie einige Male gestolpert ist. Sie ist jetzt insgesamt vorsichtiger geworden und räumt die Gegenstände oft selber nach dem Spiel weg.»

Die Kinder probieren aus, ob sie das Gleichgewicht halten können oder umfallen, wenn sie z. B. auf einen Löffel treten. So üben sie ihren Gleichgewichtssinn und lernen daraus einzuschätzen, was sie sich zutrauen können und was zu schwierig ist.

Wenn die Eltern dagegen eingreifen und «Stolpersteine» aus dem Weg räumen, lernt das Kind, daß es von seinen Eltern abhängig ist, und wird sich immer weniger selber zutrauen.

Etwas ältere Kinder füllen kleinere Sachen in die Töpfe und leeren sie wieder bzw. füllen die Dinge vom einen in den anderen Topf. Sie konzentrieren sich sehr, um dabei immer weniger auf den Boden fallen zu lassen.

«Das schönste Spielzeug sind die Erbsen, die ich zum Blindbacken brauche. Das sind Erbsen, die ich beim Backen im Ofen auf den Tortenboden lege, damit er schön flach bleibt.

Jana schüttet diese Erbsen mit viel Konzentration von einem Becher in den anderen.»

Durch Ausprobieren, Wiederholen und unsere Begleitung lernen Kinder am sinnvollsten.

Dinge bahnen sich im Gehirn erst dadurch,
daß Wiederholungen passieren.
(F. Vester)

Türen öffnen und schließen

Die Zimmertüren in der Wohnung sind für die Kinder schon interessant, bevor sie laufen können. Sie schieben sie hin und her. Auch wenn wir noch so oft auf die Gefahren hinweisen, machen viele Kinder eigene schmerzliche Erfahrungen mit gequetschten Fingerchen.

Im Alter von ca. 15 Monate verstehen die Kinder schon viele Zusammenhänge und wollen uns dies mitteilen. Sie nehmen einen Schlüssel und halten ihn an das Türschloß. Sie ziehen uns vielleicht am Rockzipfel, damit wir auf ihre Handlung aufmerksam werden. Sie zeigen auf den Schlüssel und auf die Tür. Vielleicht blicken sie dann noch zu ihrer Jacke und sagen energisch «da». Sie lesen jetzt in unserem Gesicht, ob wir verstehen, was sie uns mitteilen wollen. Wenn wir antworten, daß wir noch nicht sofort, aber später zusammen nach draußen gehen, fühlen sie sich verstanden und sind meist zufrieden.

Schubladen auf- und zumachen und aus- und einräumen

Das Kind probiert oft schon Ende des ersten Lebensjahres aus, wie Schubladen und Schränke geöffnet werden. In vielen Haushalten werden nun die Schränke mit Sperren gesichert. Für das Kind heißt das: Ich brauche nicht aufzupassen.

Ich denke, daß es besser ist, die Kinder in solchen Situationen mit den Gefahren bekannt zu machen. So lernen sie auch gleich, damit umzugehen. Kinder entwickeln sich ja Schritt für Schritt; so gibt es auch immer nur eine begrenzte Anzahl an Gefahren, die sie beherrschen lernen müssen. Sie werden durch Anschauung, aber eher noch durch eigene Erfahrungen lernen, und wir Erwachsenen können und sollen sie ihm auch nur im begrenzten Rahmen ersparen.

Um auf unser Beispiel zurückzukommen: Zeigen Sie Ihrem Kind, daß man sich an einer Schublade klemmen kann, wenn man nicht aufpaßt. Und daß Schubladen nur zum Teil herausgeschoben werden dürfen, damit sie nicht herausfallen.

So halte ich auch Eckenschützer, Tür-, Schrank- und Fenstersperren,

Schubladenschlösser und Kippschutz für unangebracht, da das Kind dann nicht die «natürlichen» Grenzen einer Schublade kennenlernt und glaubt, alle Schubladen seien gesichert, und es könne nichts passieren.

Ein Reklamefoto für Sicherheitsgeräte zeigt Kinder, die in die Steckdose einen Stock stecken, am Regal hochklettern und die Schubladen bis zum Ende aufziehen. Mir fiel dabei spontan ein, daß diese Kinder wohl gar keine Grenzen kennen und sicher als Besuch nirgendwo gern gesehen werden. Wenn Sie ein temperamentvolles Kind haben, ist es vielleicht sinnvoll, diese Sicherheitsvorkehrungen in einem Raum, eventuell dem Kinderzimmer, anzubringen, damit Sie Ihr Kind einmal für kurze Zeit aus den Augen lassen können.

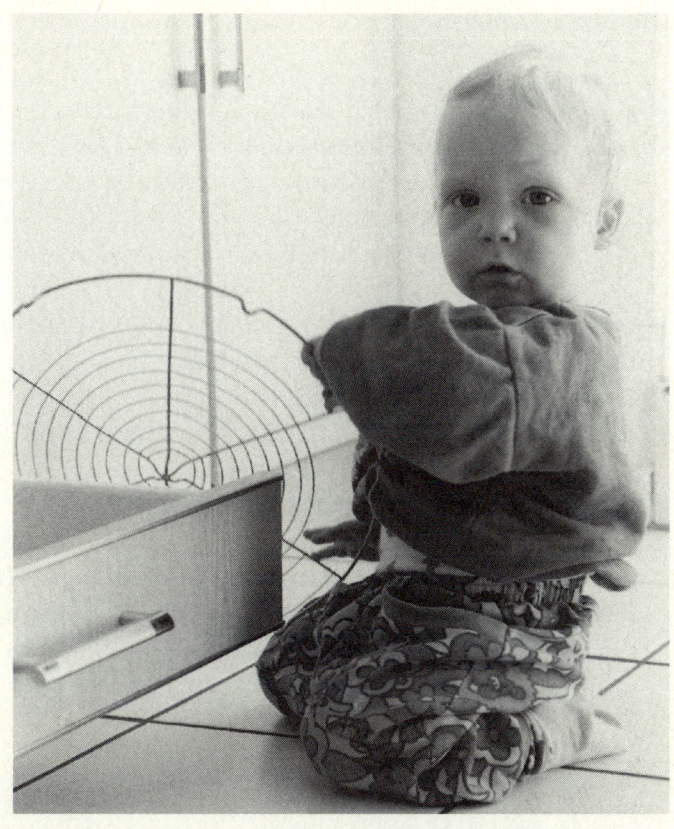

«Mein Sohn darf die Schublade mit den Vorlegebestecken und Sieben in der Küche ausräumen. Wenn ich mit meiner Arbeit fertig bin, räumen wir gemeinsam die Schublade wieder ein. In der Zwischenzeit liegen die Gegenstände auf dem Boden.»

Überlegen Sie sich, welche Schubladen Ihr Kind aus- und einräumen kann. Es ist weniger Streß, die Töpfe hinterher wieder wegzuräumen, als ständig mit dem Kind zu hadern, weil es wieder versucht, verbotene Sachen auszuräumen.

Mit Besteck spielen

Wenn Kinder einen Löffel in den Mund nehmen, lernen sie die Handhabung, die ihnen später hilft, selbständig zu essen. Am Anfang stecken sie den Löffel noch ungezielt in den Mund, wie Lara auf dem Foto. Anna Lena schaut ihr dabei interessiert zu.

Mit zunehmendem Alter halten die Kinder die großen und die kleinen Löffel auseinander und lernen, sie getrennt in die Besteckschublade zu legen. Kinder, die fast zwei Jahre alt sind, ordnen gern Dinge. Nicht die Ordnung als solche ist wichtig, sondern die Gabeln werden zu anderen Gabeln gelegt und die Löffel zu den Löffeln.

«Meine Tochter holt sich oft ihren kleinen Schemel, stellt sich drauf und räumt das Besteck nach dem Spülen in die Schublade.»

Es kann aber auch sein, daß ein Kind, das oft den Tisch deckt, Besteck anders als für uns gewohnt zuordnet, und zwar so, wie es den Tisch deckt, so daß immer eine Gabel und ein Messer zusammengehören.

Wenn das Kind uns helfen will, ist es wichtig, daß es Schränke und Ti-

sche erreicht. Kaufen Sie einen stabilen Hocker, mit dem es nicht umfallen kann. Auf dem Hocker kann das Kind zudem einen Überblick bekommen und seinen Horizont erweitern.

Wenn das Kind verständiger und selbständiger wird, sollten Sie die Schränke so umräumen, daß es die Sachen erreicht, ohne erst auf einen Stuhl steigen zu müssen.

«Eine Bekannte suchte einen Teller in unserer Küche. Erst nachdem sie fast alle Schränke geöffnet hatte, fand sie unseren Geschirrschrank. Sie wunderte sich, daß unser gesamtes Geschirr in den unteren Fächern stand. Ich erklärte ihr, daß unsere Kinder immer die Geschirrspülmaschine ausräumen und dort das Geschirr auch selbst einräumen können.»

Teig, Knödel oder Pudding rühren

«Wenn ich Pfannekuchen mache, lasse ich meinen einjährigen Sohn Marvin die Apfelstücke in den Teig werfen. Er ist mit großer Konzentration bei der Arbeit.»

Sie können Ihrem Kind zum Spielen auch ein wenig Mehl mit Wasser in eine Plastikschüssel geben. Es wird sich sicherlich eine Weile damit beschäftigen, aus den zwei Zutaten einen Brei herzustellen.

Wenn Ihr Kind ein wenig älter ist, holt es die Schüssel und andere Zutaten herbei. Später kann es helfen, mit einem Löffel den Zucker und das Mehl in die Schüssel zu tun und die Milch dazuzuschütten. Und beim Rühren des Teiges übt es die Beweglichkeit seiner Hände.

«Wenn ich Knödelteig mache, teile ich mir mit meiner Tochter die Arbeit. Die Hälfte des Pulvers tut sie in die Schüssel mit Wasser und verrührt es mit dem Schneebesen. Der Teig ist noch ziemlich flüssig, so daß sie ihn gut bearbeiten kann. Danach rühre ich den Rest Pulver ein und rühre noch einmal kräftig durch.»

Auch Puddingpulver läßt sich einfach und schnell in Milch einrühren.

«Das schönste am Kuchenbacken war für mich als Kind immer das Schüsselauslecken mit den Fingern. Ich muß gestehen, ich tue es auch heute noch am liebsten mit den Fingern. Auch meine Kinder lieben es, die Reste des süßen Kuchenteigs aus der Schüssel zu schlecken.»

Mit zunehmendem Alter nehmen viele Kinder gern einen Löffel zum Ausschlecken. Dabei lernen sie auch, den Löffel differenziert zu benutzen. Noch ergiebiger für ein Schleckermaul ist natürlich ein Teigschaber; dabei muß auch erst gelernt werden, die Rundung kräftig genug an den Schüsselrand zu drücken.

Teig kneten

Beim Kuchen-, Plätzchen-, Brot- oder Pizzabacken kann sich ein etwas älteres Kind beteiligen.

«Wenn ich die Schüssel für den Brotteig hole, ist Thomas immer schon aufgeregt. Der Einjährige wartet ungeduldig auf sein Stück Teig, mit dem er spielen darf.»

Machen Sie ein wenig mehr Teig, um Ihrem Kind das Spiel mit diesem plastischen Element zu ermöglichen. Gekaufte Knete ist oft hart und muß zuerst angewärmt werden, damit sie sich bearbeiten läßt. Der Teig hat dagegen meist eine weiche, gut zu bearbeitende Form.

«Lennart ißt alles auf, was er in den Mund bekommt. Von dem Teig wäre schnell nichts mehr übrig. Ich hätte auch Angst, daß er Bauchweh bekommen könnte.»

Von Brot- und Pizzateig probieren die meisten Kinder nur ein wenig. Da er ihnen nicht schmeckt, bearbeiten sie den Teig lieber mit den Händen. Wenn Ihr Kind aber doch dazu neigt, den Teig zu essen, und Sie befürchten, daß es Bauchweh bekommt, fügen Sie dem Stück Teig für Ihr Kind Salz hinzu.

Wenn Sie prinzipiell dagegen sind, daß Ihr Kind mit Eßwaren spielt, erklären Sie es ihm und lassen es nur bei der Arbeit helfen.

«Anke spielt immer lange mit ihrem Stück Teig. Jetzt, wo sie älter ist, macht sie auch immer ein kleines Brot, und es muß genauso gebacken werden wie das andere. Danach bekommt jeder aus der Familie ein Stück von ihrem Brot ab.»

Beim Plätzchenbacken in der Weihnachtszeit wird Ihr Kind zuerst einfach Stücke Teig aufs Blech legen. Mit zunehmendem Alter lernt es, den Teig auszurollen und mit Backförmchen Figuren auszustechen und aufs Blech zu legen.

Korn oder Kaffee mahlen

Ihr Kind hat sicherlich Spaß daran, Ihnen beim Mahlen von Körnern, Nüssen oder Kaffee mit einer Handmühle zu helfen. Das kleinere Kind wird erst nur den Griff der Mühle bewegen, dann drehen lernen, ohne daß etwas in der Mühle ist. Diese Drehbewegung ist unseren Kindern meist fremd, da wir für fast alle Tätigkeiten elektrische Geräte nutzen und unsere eigenen Kräfte nur selten einsetzen. Dinkel läßt sich übrigens einfacher mahlen als Weizen.

Müll entsorgen

Der Mülleimer ist für die meisten Kinder faszinierend. Viele versuchen, trotz Verbot immer wieder mit dem Müll zu spielen – sie wollen natürlich auch hier wieder überprüfen, ob Verbote wirklich «verboten» sind. Wenn Sie möchten, daß Ihr Kind das Verbot akzeptiert, bleiben Sie konsequent. Bringen Sie Ihr Kind aus der Küche, wenn es nicht gehorcht.

«Wir haben das Problem mit dem Mülleimer im Moment so gelöst, daß Farina den Abfall in die Mülltonne werfen darf. Dies tut sie ganz stolz und sagt jedesmal laut und deutlich Bah.»

Sie erinnern sich: Einjährige verstehen ja schon sehr viel. Uns ist dies meist nicht bewußt, weil die wenigsten Kinder schon jetzt anfangen, selber zu sprechen. Das Sprachverständnis ist aber schon sehr ausgeprägt. Deshalb nützt es auch in diesem Alter schon sehr viel, mit den Kindern zu reden und ihnen Verbote oder Gebote zu erklären.

Wenn die Kinder zwischen eineinviertel und zwei Jahren – die Spanne ist sehr groß – anfangen zu sprechen, sind sie fasziniert, was sie mit Sprache alles mitteilen können – auch wenn das Sprechen zunächst langsamer geht, als sich mit Mimik und Gestik mitzuteilen. Sie erlernen durch die Sprache eine neue Möglichkeit des Zusammenseins mit anderen. Eltern und Kinder wiederholen ihre Worte gegenseitig.

Am Tisch mitarbeiten

Auch beim Vorbereiten des Mittagessens können wir die Kinder einbeziehen, am Anfang ab und zu und mit der Zeit immer häufiger. Die Kinder steigen auf einen Stuhl und knien sich hin, weil sie dann die richtige Höhe haben, um am Tisch etwas zu tun. Sie können auch ein dickes Kissen unterlegen, damit sie am Eßtisch die richtige Höhe haben, um zu arbeiten. Manche Kinder sitzen auch gern in ihrem Hochstuhl.

Beobachten Sie Ihr Kind einmal, wie zielgerichtet es sich auf einen Stuhl zubewegt. Sie können schon im Gesicht und in den Augen lesen, was es will, bevor es z. B. auf den Stuhl klettert. Bewerten Sie die Gefahr nicht zu hoch. Lassen Sie Ihr Kind ruhig machen. Kinder schätzen in der Regel gut ein, was sie können und was nicht. Wenn sie merken, daß sie sich überschätzt haben, machen sie sich meist mit einem hilfesuchenden Blick oder Rufen bemerkbar.

Ich möchte Sie noch einmal an ein wichtiges Prinzip erinnern: Helfen Sie dem Kind nicht zu früh, sonst kann es seine eigenen Grenzen nicht kennen und akzeptieren lernen. Und Sie haben sicher schon selbst in verschiedenen Situationen erfahren, daß Ihr Kind mehr kann, als Sie ihm zugetraut haben.

Salat putzen

Ein einjähriges Kind kann schon einzelne Blätter in kleine Stücke reißen, in eine Plastikschüssel geben und mit einem Löffel umrühren.

Mit zunehmendem Alter wird es die Blätter mit einem stumpfen Messer oder einem Kindermesser auf einem Brett schneiden. Und später wird es ihm schon gelingen, die einzelnen gewaschenen Blätter in mundgerechte Stücke zu reißen, wie sie in Ihrer Familie üblich sind, oder es trennt die einzelnen Salatblätter vom Strunk. Irgendwann wird Ihr Kind Ihnen auch beim Waschen helfen und vielleicht den Salat selber zubereiten.

Gemüse putzen

«Joel hilft mir beim Rosenkohl. Am Anfang habe ich ihn auf die Arbeitsplatte gesetzt. Das Netz mit dem Rosenkohl habe ich daneben gelegt. Mein Sohn hat mir die einzelnen Kohlköpfchen gegeben, und ich habe sie geputzt. Danach hat er den Kohl in den Topf und den Abfall in den Biomüll getan.

Seit er ein wenig älter ist, entblättert er manche Rosenkohlstücke schon von allein, wenn ich vorher den Strunk unten abschneide. Manchmal spielt Joel auch das Spiel, den Kohl an den Mund zu halten, bis ich nein sage, und erst danach die Stücke in den Topf zu werfen.»

Auch beim Blumenkohl zum Beispiel kann das Kind helfen, indem es die kleinen Röschen löst. Den Kohlrabi kann es vielleicht schon von seinen Blättern befreien, den Grünkohl von den Stielen, und beim Wirsing und Weißkohl kann es die großen Blätter lösen. Wenn die Kinder älter sind, haben sie viel Freude daran, Erbsen aus der Schale zu pulen, was für die Finger eine ganz schön schwierige Arbeit ist. Am liebsten essen sie die Erbsen dann so frisch gleich auf.

Gern erinnere ich mich daran, daß ich als Kind immer ein Stück von dem jeweiligen Gemüse essen durfte. Beim Weißkohl war ich immer besonders glücklich über den Strunk. Aber auch rohe Kohlrabi habe ich mit Appetit verspeist.

«Meine Tochter hat mich fast zur Verzweiflung getrieben, weil sie kein Gemüse bei Tisch gegessen hat, außer Salat. Manchmal habe ich es mit viel Überredung geschafft, daß sie wenigstens einige Erbsen gegessen hat. Irgendwann habe ich ihr mal ein Stück rohen Kohlrabi angeboten, als ich ihn schälte. Anke aß das Stück auf und verlangte nach mehr. Von diesem Moment habe ich immer eine Portion Gemüse ungekocht für meine Tochter beiseite gelegt und ihr beim Mittagessen gegeben.»

Die meisten Gemüsesorten können auch kleine Kinder roh essen. Sie enthalten viel mehr Vitamine als in gekochtem Zustand. Grüne Bohnen und Kartoffeln sollte man auf keinen Fall roh essen.

Obstsalat zubereiten

Für einen Obstsalat schälen Sie selbst die Apfelsinen und lassen Ihr Kind die Bananen pellen und kleinschneiden.

Mit einem stumpfen Messer wird sich Ihr Kind nicht schneiden.

Schmecken, Riechen, Tasten

Die Kinder freuen sich, wenn wir sie probieren lassen, was wir gerade zubereiten. Lebensmittel, die das Kind bei den Mahlzeiten ablehnt, schmecken ihm manchmal eher in dieser vertrauten Zweisamkeit in der Küche. Auch Unterschiede von süß, salzig und sauer kann das Kind erleben und einschätzen, wenn wir sie benennen.

Erklären Sie Ihrem Kind die verschiedenen Gerüche der Nahrungsmittel. Lassen Sie es am Kochtopf oder der Salatschüssel schnuppern. So nimmt das Kind bewußter die Unterschiede wahr. Später kann es raten, was wohl gekocht wird. Auch ein Apfel riecht anders als eine Apfelsine oder eine Banane.

Kinder wollen auch Dinge mit dem Mund ertasten, die nicht zum Essen gedacht sind. Haben Sie schon einmal den Unterschied zwischen dem Fußboden, einer kalten Marmorfensterbank und einer warmen Heizung mit dem Mund gespürt? Ich habe ja schon erwähnt, daß kleine Kinder den ganzen Tag über ein großes Lernpensum bewältigen: Ständig sind sie dabei, alles mögliche auszuprobieren, daraus zu lernen und wieder Neues anzugehen.

Auf dem Foto gegenüber sehen wir Kira, die versucht, den Sonnenstrahl mit den Händen zu fangen. Sie sieht, daß ihre Hände hell und warm werden, wenn sie sie an dieser Stelle auf den Boden hält. Auch ist der Boden an dieser Stelle heller und fühlt sich warm an. Das ist gar nicht so einfach zu verstehen und wird noch des öfteren von ihr ausprobiert werden.

Hören, Sehen, Riechen, Schmecken, Fühlen –
das ist Leben.

In der Küche gibt es viele verschiedene Dinge zu ertasten. Wie unterschiedlich fühlen sich z. B. ein Wirsingblatt und ein Weißkohlblatt an. Und wenn es im Sommer einen Fruchtsaft-Drink mit Eiswürfeln gibt, ist das wieder ein Anlaß für staunenswerte neue Erfahrungen:

«Lukas ist immer ganz fasziniert, wenn ich ihm einen Eiswürfel gebe. Er ist kalt, so daß er ihn nur kurz anfassen kann. Außerdem wird er immer kleiner. Das schönste ist für ihn, daß das Eis ständig Wasser verliert, und das verreibt Lukas dann auf dem Tisch.»

Miteinander kochen

Töpfe und Herdplatten können heiß sein. Auch das müssen die Kinder erst lernen.

«Ich hatte Anke immer davor gewarnt, auf die Herdplatte zu fassen. Als ich einmal kochte, wollte Anke zusehen. Ich hob sie auf die Arbeitsplatte und drehte mich um, um die Nudeln zu nehmen. Ein fürchterliches Geschrei! Als ich mich umsah, hielt meine Tochter mir weinend ihre Hand entgegen. Der Zeigefinger bekam eine Brandblase, obwohl ich ihre Hand sofort unter kaltes Wasser hielt. Seitdem machte sie einen großen Bogen um den Herd.»

Vielleicht genügt es, daß Sie das Kind eine ziemlich warme Platte anfassen lassen, um ihm ein Gespür für das warnende «heiß» zu geben. Falls Sie einen Herd mit Ceranfeldern haben, lernt das Kind: Wenn etwas rot ist, darf ich nicht an den Herd fassen. Stellen Sie aber zur Sicherheit Töpfe mit heißem Inhalt immer auf die hinteren Herdplatten.

«Ich habe Sebastian erklärt, daß er den Backofen nicht anfassen darf, wenn das Licht an ist. Er hat es doch ausprobiert. Am Anfang war der Backofen ja noch nicht heiß. Wir haben zusammen immer wieder angefaßt, bis es zu heiß wurde. Sebastian weiß jetzt, daß er den Backofen nicht anfassen darf, wenn das Licht an ist.»

Antworten Sie dem Kind immer sachgerecht und wahrheitsgemäß. Benutzen Sie das Wort «heiß» nicht für andere Dinge, die das Kind nicht anfassen soll. Kinder überprüfen unsere Aussagen gern auf ihren Wahrheitsgehalt. Wenn sie merken, daß die Bodenvase gar nicht «heiß» ist, werden sie vielleicht auch den heißen Topf anfassen.

Bei aller Vorsicht sollten Sie sich aber eins zum Prinzip machen: Lassen Sie Ihr Kind nicht allein in der Küche!

Nudeln

Nudeln schmecken nicht nur allen Kindern, sie sind auch ein herrliches Spielzeug. Auch die ungekochten Nudeln werden natürlich mit dem Mund begutachtet; deshalb sollten Sie besser solche aus Hartweizengrieß nehmen, da sie kein Frischei enthalten.

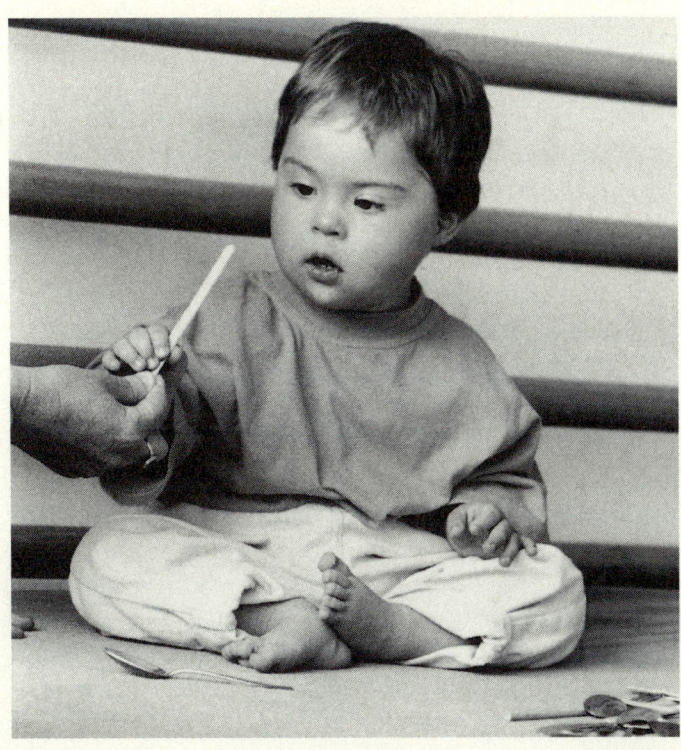

Spaghetti können in kleine Stücke gebrochen und so gekocht werden, dann hat Ihr Kind auch nicht soviel Mühe beim Essen. Makkaroni eignen sich zunächst gut zum Greifen und dann auch zum Durchpusten und Trinken.

«Gloria spielt gern mit den kurzen Pennenudeln. Mit viel Ausdauer steckt sie immer wieder Zahnstocher oder Spaghetti hindurch und freut sich, wenn sie unten wieder rausfallen.»

Gloria will ihre Freude mit ihrer Mutter teilen. In diesem Alter kann sie sich noch nicht mit Worten mitteilen. Ihre Augen und ihr Mund öffnen sich, und die Muskeln in ihrem Gesicht spiegeln ihre Freude. Die Mutter reagiert und teilt die Freude mit Gloria, indem sie mit einer ähnlichen Mimik antwortet oder ihr zunickt oder etwas zu ihrer Tochter sagt.

Auch in dieser kleinen Situation ergeben sich für das Mädchen eine Fülle von Lernmöglichkeiten. Gloria lernt, daß

- sie ihre eigenen Gefühle hat;
- andere ihre Gefühle wahrnehmen;
- es Freude macht, anderen diese Gefühle mitzuteilen;
- die anderen ihre Gefühle verstehen;
- die anderen auf ihre Gefühle reagieren;
- Mutter oder Vater auf diese Gefühle meist so reagieren, wie sie es erwartet.

Pennenudeln kann Ihr Kind, wenn es am Tisch sitzt, auch auf Schaschlikstäbe oder Stricknadeln stecken. Wenn Sie sie unten fest auf einem Korken befestigen, rutschen die Nudeln nicht mehr runter. Das Kind sollte wegen der Verletzungsgefahr aber auf keinen Fall mit diesen Stäben durch die Wohnung laufen.

Ältere Kinder können die Nudeln auf eine Perlonschnur auffädeln. Auch aus Tortellini und später aus «Rölli»-Nudeln können schöne Ketten hergestellt werden.

Mandarinen schälen

Die meisten Kinder essen schon gern feste Nahrungsmittel, wenn sie das erste Lebensjahr vollendet haben. Besonders gern mögen viele Kinder als Zwischenmahlzeit Mandarinen (vorausgesetzt, sie reagieren nicht allergisch auf Zitrusfrüchte). Zuerst lernen sie, die Mandarine in kleine Stücke zu teilen. Später schälen und häuten die Kinder das Obst selber, was eine enorme Fingerfertigkeit voraussetzt.

«Kira ist jetzt 1 ½ Jahre alt. Sie schält die Mandarinen mit wachsender Begeisterung für die gesamte Familie. So viele Mandarinen wie dieses Jahr haben wir noch nie gegessen.»

Zwiebeln häuten

Kinder im zweiten Lebensjahr üben gern die Beweglichkeit von Zeigefinger und Daumen.

*«Wenn ich Gloria eine Freude machen will, gebe ich ihr das Netz mit
Zwiebeln. Sie holt die Zwiebeln einzeln raus und zieht die äußeren harten
Schalen vorsichtig ab. Dabei brummt sie vor lauter Konzentration vor sich
hin.»*

Es ist feinmotorisch eine enorme Leistung, die hauchdünnen Schalen
bei der Zwiebel zu entfernen.

*«Manchmal lege ich Gloria eine Kartoffel zwischen die Zwiebeln. Zuerst
versucht sie, sie genauso zu häuten wie die Zwiebeln, und dann schüttelt sie
jedesmal den Kopf, wenn sie wieder die Kartoffel sieht, als wolle sie sage: Das
geht nicht.»*

Einpacken

Nachdem Ihr Kind mit den Zwiebeln gespielt hat, lassen Sie es die Zwiebeln wieder einräumen.

*«Für Gloria ist es immer wichtig, daß die Dinge, die sie ausgepackt hat,
auch wieder eingepackt werden.»*

Verpackung als Spielmaterial

Bei der Küchenarbeit fallen viele Dinge ab, die für unsere Kinder womöglich interessantes Spielzeug ergeben.

*«Ich habe neben dem Abfallbehälter immer eine Tüte liegen, in die ich die
Dinge reintue, mit denen Thomas spielen kann. Wenn ich irgend etwas
mache, bei dem ich ein wenig Ruhe brauche, gebe ich ihm die Tüte. Er ist
dann immer eine ganze Weile beschäftigt.»*

*«Ich habe mir angewöhnt, alles, was ich in den Abfall werfe, daraufhin anzu-
gucken, ob es für meine Tochter zum Spielen geeignet ist. Es gibt so unendlich*

viele Sachen, mit denen sie gern spielt. Nachdem sie z. B. die Pappschachtel von der Seife so oft auf- und zugemacht hat, daß die Laschen ausgerissen sind, werfe ich sie weg.»

Dosen gezielt füllen und leeren

Schachteln und Dosen zu füllen und zu leeren bereitet allen Kindern große Freude. Ihrem Einjährigen geben Sie eine Kaffeedose. Dort kann es Korken, Deckel, seine Bauklötze oder Löffel hineintun und sie anschließend wieder herausnehmen. Es wird sich immer wieder interessiert mit dieser dritten Dimension, der Tiefe eines Behälters, auseinandersetzen, indem es Gegenstände und auch die Hände hineinsteckt.

Wenn Ihr Kind ein wenig älter ist, schneiden Sie in den Plastikdeckel ein Loch. Es wird die Dinge durch das Loch stecken und dabei merken, daß ein Löffel nur hindurchpaßt, wenn er in einer bestimmten Weise gehalten wird.

Einige Zeit danach können Sie bestimmte Formen in den Deckel einer Dose schneiden. Das können z. B. Löcher für die viereckigen oder runden Bauklötze sein. Durch diese Öffnung können nur noch die passenden Gegenstände in die Dose gesteckt werden.

Auf dem Foto sehen wir, wie Lukas konzentriert mit beiden Händen die Flaschendeckel nacheinander in die Dose füllt.

Schachteln öffnen und schließen

Trinken Sie Tee aus Teebeuteln? Dann kann Ihr Kind die Beutel aus der Schachtel holen und hinterher die Schachtel wieder verschließen. Oder es packt die Frischhaltefolie aus und wieder ein. Oder die Kaffeefilter.

Bei den vielen Anregungen, die ich Ihnen in diesem Kapitel gebe, sollten Sie aber nie vergessen, daß Kinder auch Zeit brauchen, allein zu spielen, und sich nicht ständig in die Arbeit einbeziehen lassen.

Dinge vergleichen

Interessant ist es auch, wenn Sie Ihrem Kind eine Schachtel mit Seife und eine Schachtel ohne Seife geben. Die Schachteln sehen gleich aus, sind aber unterschiedlich schwer. Wenn es die Schachteln geöffnet hat, wird es den Zusammenhang zwischen einer vollen schweren und einer leichten leeren Schachtel begreifen.

«Ich habe meiner eineinhalbjährigen Tochter gestern zwei Schachteln gegeben, in denen die gleichen Nudeln waren. Aus der einen Schachtel ließen sich die Nudeln durch die Lasche in eine Schüssel schütten, bei der anderen passierte nichts, weil die Tüte noch verschlossen war. Sie versuchte es immer wieder und sagte bei der einen Schachtel immer wieder ‹nein›. Nach einer Weile stellte sie diese Schachtel zur Seite.»

Kinderküche selber basteln

Wenn Ihr Kind älter ist, freut es sich, wenn Sie ihm einen eigenen Herd zum Kochen und eine Spüle basteln.

«Aus zwei großen Windelkartons haben wir für Pia eine Küchenzeile gebaut. Für die Drehknöpfe des Herdes haben wir große Schrauben und Muttern genommen. Die Herdplatten und den Backofen haben wir aufgemalt.»

So eine Küchenzeile können Sie mit dem Kind zusammen basteln und dabei seine eigenen Vorstellungen mit berücksichtigten. Hier ist seine Phantasie mehr gefordert als bei einer fertigen Puppenküche. Und so eine «Wegwerfküche» kann immer mal wieder mit neuen Elementen entstehen.

Bausteine aus Tetrapacks

Kleine Kinder räumen gern auf. Milch- oder Saftpackungen stapeln sie oder stellen sie ordentlich nebeneinander. Die leeren Packungen können die Kinder gut zum Bauen wie große Bauklötze verwenden, nachdem wir sie mit Wasser ausgespült und den Ausgießer abgeschnitten haben. Wenn die Kinder älter sind und höhere Mauern mit den «Ziegelsteinen» bauen wollen, können wir sie durch die Öffnung mit einem Trichter mit Sand füllen und zukleben.

«Wir haben im letzten Jahr alle Tetrapacks gesammelt und für unseren Sohn ein Haus im Garten gebaut. Die Tetrapacks sind so gut genutzt. Außerdem sind sie ziemlich wetterbeständig und sehen lustig aus.»

Aufräumen

Räumen Sie mit Ihrem Kind zusammen auf. So lernt es von Anfang an, daß man nach dem Arbeiten oder Spielen Ordnung schafft. Die meisten kleinen Kinder räumen zunächst am liebsten aus. Wenn sie ein wenig älter sind, räumen sie gern mit uns zusammen wieder auf. Sie legen die Gegenstände nach verschiedenen Kriterien wie Formen oder Farben zurecht.

Und sie werden wütend oder traurig, wenn Sie das als Unordnung abtun. Den Kindern erscheint ihre eigene Ordnung als vollkommen logisch. Vielleicht können Sie im Kinderzimmer diese «Ordnung» dulden. Ein anderes Mal räumen Sie vielleicht gemeinsam auf und versuchen dem Kind Ihre Prinzipien zu erklären. Oder Sie finden ein Verfahren, das Sie beide akzeptieren können.

Erwachsenen bei der Arbeit zusehen

Manche Kinder beobachten gern, was wir Erwachsenen machen. Sie können uns stundenlang bei der Arbeit zusehen.

«Carolin ist ein eher ruhiges Kind, das mich gern beim Arbeiten beobachtet und jetzt mit zwei Jahren ihrem Vater abends genau erzählt, was ich tagsüber gemacht habe.»

Genießen Sie es, wenn Ihr Kind Freude daran hat, Sie bei Ihrer Arbeit zu beobachten. Auch hierbei lernt Ihr Kind viel.

«Lukas beobachtet mich häufig bei meiner Arbeit in der Küche. Wenn ich Wurst schneide, gebe ich ihm oft eine Scheibe zum Essen. Gestern schnitt ich Fleischwurst in dicke Scheiben. Lukas wollte Wurst haben. Ich schnitt von einer Wurstscheibe ein Stück ab und gab es ihm. Er wollte es nicht, gab mir aber gleichzeitig zu verstehen, daß er Wurst haben wollte. Ich gab ihm das größere Stück von der Wurstscheibe. Aber auch das verschmähte er. Nun fiel bei mir der Groschen. Wurstscheiben sind rund, und Lukas wollte eine runde Scheibe. Glücklich nahm er die neue Scheibe und aß sie auf.»

Lukas hat bisher immer eine ganze Scheibe Wurst bekommen, und nur so paßt sie in seine Vorstellung von einer «ordentlichen» Scheibe Wurst. Das Beispiel mit Lukas zeigt uns wieder einmal, wie leicht Mißverständnisse zwischen uns und dem Kind auftreten können, solange wir uns nicht genügend Mühe geben, zu verstehen. Mit ein wenig Geduld und Nachdenken werden Sie auch manch andere Situation, in der Ihr Kind «dickköpfig» zu sein scheint, auflösen können.

«Wir hatten Besuch, der bei uns auf einer Liege im Wohnzimmer schlief.

Morgens krabbelte Mia ins Wohnzimmer und wurde wütend. Sie stand an einer Ecke vor der Couch und ließ sich nicht beruhigen. Es fiel mir ein, daß sie jeden Morgen als erstes einmal durch die Wohnung krabbelt, und zwar hat sie dabei einen ganz bestimmten Weg. Dieser war jetzt durch die Liege verbaut. Nachdem wir das Bett weggeräumt hatten, machte Mia ihren ‹morgendlichen Rundgang› und war zufrieden.»

In diesem Beispiel taucht noch ein anderer Aspekt auf: Für Kinder sind bestimmte Rituale ja sehr wichtig. Wenn nun etwas plötzlich anders als gewohnt ist, verlieren sie leicht ihr Gleichgewicht.

Träumen

Manche Kinder träumen gern vor sich hin oder wollen einfach mal nichts
tun oder aus dem Fenster schauen wie das Kind auf dem Foto.
Lassen Sie Ihr Kind aber nur im Erdgeschoß aus dem geöffneten Fenster
schauen! Bei diesem Anlaß bitte ich Sie, einmal zu überlegen: Können wir
es überhaupt noch aushalten, wenn die Kinder mal nichts tun wollen?
Und wie sieht es mit uns selbst aus: Können wir noch einfach dasitzen,
ohne etwas zu tun, ohne Musik zu hören und ohne an das zu denken, was
wir als nächstes tun wollen?

Kinder und Uhren dürfen nicht ständig aufgezogen werden,
man muß sie auch gehen lassen.

Manche Eltern neigen dazu, ihre Kinder mit Anregungen zu überhäufen.

> Sie wollen «das Beste für ihr Kind», stimulieren deshalb unentwegt seine Entwicklung und verhindern damit, daß das Kind zur Ruhe kommt und Ausdauer lernt.

Diesen Eltern fehlt das Vertrauen in die Kinder. Sie können sie nicht als eigenständig handelnde Personen sehen und durch Beobachtung ihre Fähigkeiten erkennen und sie selbständig machen lassen.

Wenn Ihr Kind sich von Ihnen oft im Spiel gestört fühlt, macht ihm das selbständige Spiel vielleicht keine Freude mehr.

«Lars bekam immer einen Wutanfall, wenn er noch spielen wollte und ich die Sachen wegräumte. Er war dann für längere Zeit ungenießbar. Seitdem ich ihn noch machen lasse, auch wenn ich schon aus dem Raum gehe, bringt er sein Spiel zu Ende und räumt manchmal sogar ein wenig auf.»

> Die Lernatmosphäre sollte sich an den Lebensbedürfnissen des kleinen Kindes orientieren. Dazu gehören:

- Geborgenheit, Liebe, Zuwendung;
- Kontakt, Gefühl, Mimik, Gestik, Sprache;
- Phantasie, Spontaneität;
- sinnliches Erfahren, eigenes schöpferisches Tun;
- Bewegung, Spiel;
- Beobachten und Ruhe.

Arbeiten ohne das Kind erledigen

Wichtige Hausarbeiten, bei denen Sie sich konzentrieren müssen, erledigen Sie am besten, wenn das Kind allein spielt oder nicht in der Nähe ist.

«Die Arbeiten, bei denen ich Lara nicht dabeihaben möchte, erledige ich mittags, wenn sie schläft. Das hat einige Zeit gedauert, bis ich gelernt hatte, daß es so für mich am sinnvollsten ist.»

Noch mehr Anregungen in der Wohnung

Mit dem Telefon spielen

Die meisten Kinder spielen gern mit dem Telefon. Manche Kinder haben großen Respekt vor diesem Ding, das plötzlich «spricht». Wenn es Sie nicht stört und das Kind behutsam mit dem Telefon umgeht, lassen Sie es ruhig zu.

«Wir hatten ein Telefon mit einer langen Schnur, das wir für Martin auf den Boden stellten. Bei seinen Wählversuchen erwischte er immer die Ansage ‹kein Anschluß unter dieser Nummer› mit einem anschließenden Piepston. Das hat ihn begeistert.»

Wenn Sie nicht wollen, daß Ihr Kind mit dem «richtigen» Telefon spielt, kaufen Sie ihm eins zum Spielen. Mit dem kann es zwar auch telefonieren, aber das echte Gerät wird immer eine größere Attraktivität besitzen.

Kinder sind meist eifersüchtig, wenn wir telefonieren. Sie wollen uns vom Telefon weglotsen.

«Immer wenn ich den Hörer hochhebe und eine Nummer wähle, muß Jonas unbedingt auf die Toilette. Wenn ich ihm dann die Hose runtergezogen habe, muß er doch nicht mehr.»

Auch Geschwister streiten sich gerade immer in dem Moment und genau vor unserer Nase, wenn wir angefangen haben zu telefonieren.

«Anika wurde immer sehr aggressiv, wenn ich telefonierte, und machte auch hinterher immer nur das, was verboten war. Ich hatte den Eindruck, daß sie es regelrecht darauf anlegte, mit mir Streit zu bekommen. Irgendwann merkte ich, daß ich immer meine Freundin anrief, wenn meine Tochter mich genervt hatte, und ihr alles erzählte, um mich zu entlasten.»

Haben Sie beim Telefonieren einen kleinen Zuhörer, erzählen Sie möglichst nichts Negatives über Ihr Kind. Auch in diesem Alter versteht es

schon fast alles, was wir sagen. Und es würde Ihnen ja auch nicht gefallen, wenn Ihr Mann am Telefon seinem Freund über Ihre letzte Auseinandersetzung aus seiner Sicht berichtet.

Steckdosen anfassen

Steckdosen sind für viele kleine Kinder trotz oder gerade wegen des Verbotes interessant. Sie sollten zwar gesichert sein, aber trotzdem würde ich

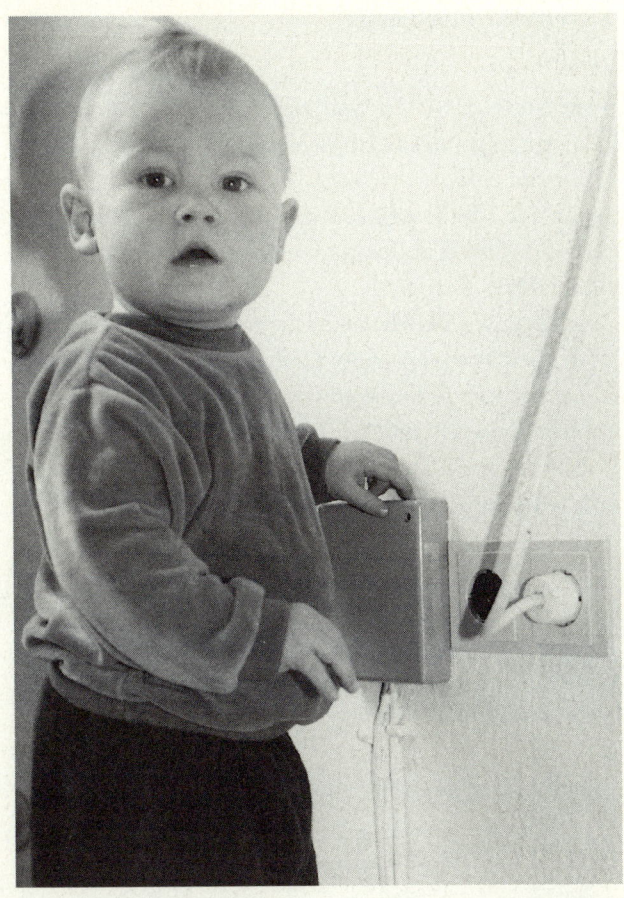

meinem Kind verbieten, sie zu untersuchen, da in anderen Wohnungen vielleicht keine Kindersicherungen in den Steckdosen sind. Auf dem Foto sehen wir Lennart, der genau weiß, daß er nicht an die Steckdose darf, aber seine Mutter anschaut, um ihre Aufmerksamkeit auf sich zu lenken und zu überprüfen, ob das Verbot noch gilt.

> Vieles auf der Welt wäre völlig uninteressant,
> wenn es nicht verboten wäre.

Stereoanlage bedienen

Viele Verbote werden mit zunehmendem Alter gelockert oder aufgehoben, wie folgendes Beispiel zeigt.

Ob Sie Ihrem Kind erlauben, die elektrischen Geräte wie z. B. die Stereoanlage anzufassen und zu bedienen, ist zum einen eine Einstellungssache, und zum anderen hängt es auch von Alter, Temperament und Verhalten Ihres Kindes ab.

«Marvin ist ein kleiner Feger. Er geht an alles dran und behandelt die Sachen nicht sehr vorsichtig. Deshalb haben wir ihm verboten, an die Stereoanlage zu gehen. Er akzeptiert das immer für eine gewisse Zeit. Dann probiert er es wieder, und wir müssen es ihm wieder konsequent verbieten.»

Marvin hat bisher erlebt, daß viele Verbote im Lauf der Zeit aufgehoben wurden. Er darf z. B. jetzt die Treppe allein hinaufgehen, was früher verboten war. So überprüft er auch, ob die Stereoanlage noch tabu ist.

Bei bestimmten Handlungen kalkulieren die Kinder die negativen Reaktionen der Eltern mit ein. Trotzdem ist ihnen Ausprobieren wichtiger. Auch das Kind auf dem Foto gegenüber fühlt sich unbeobachtet.

> Kritisieren Sie das Verhalten des Kindes,
> aber nicht das Kind selbst.

Wenn Sie das Gefühl haben, daß Sie das Verbot nicht durchsetzen können, obwohl es Ihnen wichtig ist, stellen Sie die Stereoanlage außer Reichweite. So vermeiden Sie einen Dauerkonflikt. Ermahnen hilft bei Kindern nur so lange, bis die Hoffnung besteht, nicht erwischt zu werden.

Auf dem Foto oben sehen Sie die anderthalbjährige Farina, die inzwischen gelernt hat, das Stereogerät behutsam zu bedienen.

«Farina interessierte sich schon immer für unsere Musikanlage. Ich konnte nie so schnell da sein, wie sie trotz Verbot sich an der Anlage zu schaf-

fen machte. Daraufhin habe ich ihr erklärt, daß man vorsichtig mit dem Gerät umgehen muß, und wie die Anlage zu bedienen ist. Jetzt stellt sie das Gerät an und legt ihre Kassetten selbständig ein. Am Anfang hat sie sich ein paarmal sehr erschrocken, weil sie am Lautstärkeschalter gedreht hatte. Jetzt geht sie vorsichtig mit allen Knöpfen um.»

Blumen gießen

Haben Sie Blumen zu versorgen, kann Ihr Kind vielleicht auch mit einer kleinen Kanne helfen. Wenn das Kind an der Arbeit beteiligt wird, sind die Blumen meist nicht mehr so interessant zum Spielen. Wollen Sie nicht, daß Ihr Kind an die Blumen geht, verbieten Sie es. Aber seien Sie dann auch konsequent!

Kinder merken sich genau, ob etwas immer verboten ist oder ob es immer wieder getestet werden muß, da es manchmal, z. B. wenn Sie ungestört sein wollen, doch erlaubt wird.

«Farina guckt mich an und sagt, wenn sie z. B. an die Blumen oder an andere Gegenstände faßt: ‹Mamas?› In letzter Zeit sagt sie das sehr häufig. Ich glaube, ich sage ihr zu oft, wenn sie irgendwelche Gegenstände berührt, daß es meine sind.»

Vermitteln Sie bei Verboten dem Kind immer auch das Gefühl, viele andere Dinge in seiner Umgebung erleben und anfassen zu dürfen.

Bücher ordnen

Kinder halten sich gern im Wohnzimmer bei uns auf und gehen meistens vorsichtig mit den Gegenständen um. Manche Kinder versuchen allerdings, alles auseinanderzunehmen und zu untersuchen, was sie in die Hände bekommen. Überlassen Sie Ihrem Kind ein Fach im Regal, in dem seine Bilderbücher, alte Kataloge und einige Bücher stehen, die Ihnen nicht mehr so wichtig sind. Diese Bücher kann es nach Herzenslust bearbeiten. Auch ein Fach im Wohnzimmerschrank sollte Ihr Kind benutzen dürfen.

Auf dem Foto sehen Sie, wie Kira vorsichtig ihr Bilderbuch aus ihrem Fach im Regal holt.

Schlüssel benutzen

Schlüssel üben auf alle Kinder eine große Faszination aus. Als erstes holen sie sie aus den Schlüssellöchern. Wenn sie ein wenig älter sind, stecken sie sie wieder ins Schlüsselloch zurück. Noch ältere Kinder versuchen, mit dem Schlüssel die Türen auf- und zuzuschließen. Während dieser Phase sollten Sie die Schlüssel abziehen, um zu verhindern, daß sich Ihr Kind aus- oder einsperrt.

Papier bearbeiten

Für die Feinmotorik der Kinder ist es eine gute Übung, sich mit Papier zu beschäftigen. Pergamentpapier, in das die Wurst eingepackt war, fühlt sich anders an als die Brötchentüte. Durch das Papier von der Wurst kann man hindurchschauen. Wenn man es fest an die Lippen hält und dagegen pustet, kribbelt es an den Lippen. In der Brötchentüte kann das Kind z. B. einen Löffel verschwinden lassen und sie oben fest zusammendrücken, so daß der Inhalt nicht mehr zu sehen ist. Vielleicht sollen Sie raten, was das Kind in die Tüte getan hat.

Einwickelpapier kann man zusammenknüllen und wieder auseinanderstreichen. Das gibt interessante Geräusche, und die Oberfläche sieht jedesmal anders aus. Auch kann alles mögliche in Papier eingewickelt und wieder ausgewickelt werden.

Ein- und Auspacken

Geben Sie Ihrem zweijährigen Kind Zeitungs- oder anderes Papier zum Spielen. Es wird alles, was ihm in die Hände kommt, mit wachsender Begeisterung einpacken. Es freut sich, wenn Sie raten, was sich in den einzelnen «Päckchen» befindet.

Papier reißen

Papier zu zerreißen ist gar nicht so einfach. Wir Erwachsenen machen das schon ganz unbewußt richtig. Um es dem Kind zu zeigen, beobachten Sie sich erst einmal selbst dabei, wie Sie ein Stück Papier auseinanderreißen. Dann können Sie Ihrem Kind beibringen, wie man die eine Seite des Papiers nach vorne und die andere nach hinten ziehen muß, damit man zwei Stücke in den Händen hält. Es wird einige Zeit dauern, bis Ihr Kind das selbst machen kann.

Papier schneiden

Wenn Ihr Kind ungefähr eineinhalb bis zwei Jahre alt ist, wird es auch Freude haben, Papier zu zerschneiden. Mit einer vorne abgerundeten Kinderschere kann es z. B. Zeitungspapier schneiden. Allmählich wird es dann gezielt bestimmte Dinge ausschneiden und seine Kompetenz vervollkommnen. Zum Ausschneiden eignen sich Abbildungen aus Katalogen, die dem Kind besonders gut gefallen. Die ausgeschnittenen Bilder können Sie mit ihm gemeinsam aufkleben.

Papier aufkleben

Zum Aufkleben von Papier auf Papier kann man gekochtes Kartoffelmehl verwenden. Es klebt gut und ist ungefährlich, falls die Kinder es in den Mund nehmen sollten.

Malen und «Schreiben»

Ein Kind im zweiten Lebensjahr möchte schon schreiben und malen wie die Großen. Kleine Kinder wollen oft die Stifte noch mit dem Mund probieren und prüfen, ob ein gelber Stift anders schmeckt als ein roter. Der rote Pudding schmeckt doch auch anders als der gelbe.

Wenn Sie einen Brief zu schreiben haben oder die Einkaufsliste erstellen, geben Sie Ihrem Kind einen ungiftigen Stift. Es macht Ihre Schreibbewegungen nach und kritzelt etwas aufs Papier. Dabei ist es oft weniger wichtig zu «schreiben» oder zu malen, als die Mutter oder den Vater nachzuahmen.

«Eine große Freude habe ich meinen Kindern immer damit gemacht, daß ich

das Geschriebene genauso in einen Umschlag getan habe wie meinen Brief und z. B. der Oma geschickt habe.»

Mit ca. 1 ½ Jahren kann das Kind einen Stift halten: Faszinierend, wie der Stift Spuren hinterläßt, wenn ich mit ihm über das Papier hin- und herfahre. Mit einem Stift sich auszudrücken ist eine elementare neue Erfahrung. Das Kind nimmt dabei keine Grenzen wahr wie z. B. den Rand des Papiers, sondern malt, wie es gerade Lust hat. Sorgen Sie für große Bögen, damit nicht Teppiche und Wände bemalt werden. Geeignet sind Reste von Tapetenrollen, die man oft in Malergeschäften bekommen kann, oder auch Blätter aus alten Tapetenbüchern. Sie können den Kindern auch die Rückseite von beschriebenen Blättern geben. Bei Druckereien gibt es manchmal die letzten Reste von Papierrollen.

Zuerst malen die meisten Kinder Linien, danach Kreise oder Ovale und immer viele übereinander. Lassen Sie Ihr Kind malen, ohne ihm zu helfen. Es hat von den Dingen eine eigene Vorstellung, die es aufs Papier bringt, und versteht in diesem Alter noch nicht, wie ein Tier oder Mensch naturgetreu gemalt werden kann. Fragen Sie Ihr Kind, was es gemalt hat, wenn es sprechen kann.

«Als meine jüngere Tochter anfing zu malen, war die Große gerade in die Schule gekommen. Die Große sagte oft zur kleinen Schwester: Du malst ja nur Krikelkrakel. Im Laufe der Zeit malte die Kleine immer weniger und hat auch später nie Freude am Malen gehabt, da sie immer das Gefühl hatte, daß sie sowieso nie so gut wie ihre Schwester werden würde.»

Erst mit mehr als drei Jahren beginnen die Kinder, gegenständlich zu malen. Bieten Sie Gelegenheit und Mal-Utensilien an, aber schalten Sie sich nicht ein und vor allem:

Korrigieren Sie Ihr Kind nicht!

Nur so kann es sein eigenes Tempo, seinen eigenen Ausdruck und seine Individualität entwickeln. Kinder übermalen oft ihr gerade erst fertiggestelltes Produkt. Ihnen liegt wenig daran, ein Ergebnis zu erzielen, sie malen, einfach weil sie Freude daran haben. Viele Kinder malen noch lange Bilder, auf denen wir nichts erkennen können, aber sie erzählen uns oft genau, was sie sich beim Malen vorgestellt haben.

Wenn Sie Ihr Kind korrigieren und nicht mit den «Gemälden» zufrieden sind, nehmen Sie Ihrem Kind die Freude am Malen.

Dies heißt nicht, daß wir nicht auch für unsere Kinder malen können. Meine Kinder spielten gern das Spiel: Mama, mal uns mal einen Hund, ein Haus oder ähnliches. Da ich nicht gut malen kann, hatten sie am meisten Freude, wenn das Verlangte kaum zu erkennen war.

Lassen Sie mich noch zwei pädagogische Anmerkungen machen, die für diese wie für viele andere Situationen gelten:

Zwingen Sie sich nicht zum gemeinsamen Spielen oder Malen, wenn Sie eigentlich keine Zeit dafür haben. Das Kind würde Ihre Nervosität sofort spüren, so daß schließlich beide unzufrieden wären. Auch ein kleines Kind kann im übrigen verstehen (und sollte lernen), daß es nicht immer «Mittelpunkt der Welt» ist. Erklären Sie ihm also, daß sie jetzt keine Zeit haben, und vereinbaren Sie für später eine gemeinsame Aktion. Die sollten Sie aber auch einhalten.

Achten Sie darauf, wie die Kommunikation mit Ihrem Kind verläuft: Loben Sie Ihr Kind häufiger, als daß Sie es kritisieren?

> Nehmen Sie sich einmal die Zeit und zählen Sie, wie oft Sie Ihr Kind innerhalb einer Stunde kritisieren und loben.

Mißbilligung wird vom Kind als Liebesverlust empfunden. Sagen Sie lieber in einer solchen Situation: «Das gefällt mir nicht, aber ich mag dich trotzdem.»

Nehmen Sie Ihr Kind mit seinen individuellen Eigenarten und Fähigkeiten an und unterstützen Sie es, seinen eigenen Weg zu finden, anstatt dem Kind Ihre Vorstellungen aufzudrücken.

Gemeinsam einkaufen

Für einen gemeinsamen Einkauf brauchen Sie Zeit und Ruhe. Deshalb sollte so eine Unternehmung gut geplant werden. Wenn Sie morgens viel in der Wohnung zu tun haben, verschieben Sie doch Ihren Einkauf auf den Nachmittag, anstatt sich abzuhetzen. Der Konflikt kann schon beginnen, bevor Sie losgehen wollen, da das Kind vielleicht intensiv spielt und wütend reagiert, wenn es plötzlich aufhören soll.

Sollte das häufiger passieren, werden die Kinder womöglich selbst mit der Zeit nicht mehr so ausdauernd und intensiv spielen.

Auf jeden Fall wird Ihr Kind nicht verstehen, warum wir oft von ihm verlangen, daß es allein spielt, und wir zu anderen Zeiten sein Spiel plötzlich beenden und wollen, daß es mit uns etwas unternimmt. Deshalb unterbrechen Sie Ihr Kind nicht abrupt, lassen Sie ihm noch ein wenig Zeit, und erklären Sie ihm, warum es langsam zum Ende kommen soll.

«Gestern malte meine Tochter intensiv, als ich mit ihr weggehen wollte. Ich sagte zu ihr, sie solle ihre Malsachen einpacken. Judith wollte aber erst fertig malen. Ich packte einfach ihre Malsachen zusammen, so daß sie aufhören mußte. Als ich sie fragte, ob sie mir das Bild schenken würde, knüllte sie es wütend zusammen, warf es weg und war sauer. Im nachhinein kann ich ihre Wut gut verstehen, weil ich sie so plötzlich unterbrochen habe.»

Stellen Sie sich auch darauf ein, daß Ihr Kind schon viel Zeit beim Anziehen braucht. Es wird dann viel ausgeglichener und freudiger mit Ihnen zusammen losgehen.

Kleidung holen

Kinder wissen genau, was sie brauchen, um nach draußen zu gehen. Wenn die Sachen für sie in Reichweite sind, werden sie alles von der Mütze bis zu den Schuhen zusammensuchen.

«Seitdem ich wieder arbeiten gehe, ist Lukas einen Tag bei meiner Mutter. Sie wollte mit ihm nach draußen gehen und zog ihn an. Lukas ließ sich den Schal nicht umbinden. Nach einer Weile zog meine Mutter ihm die anderen Sachen an. Als sie fertig war, nahm Lukas den Schal und wollte ihn umgebunden bekommen. Abends fragte sie mich danach. Für Lukas ist es bei vielen Sachen wichtig, daß sie immer gleich gemacht werden.»

«Theresa wollte früher oft nicht das anziehen, was ich wollte. Heute lasse ich sie zwischen zwei gleichartigen Kleidungsstücken auswählen.»

Allerdings ist Ihr Kind erst dann in der Lage, bei der Wahl der Kleidung mitzubestimmen, wenn es Wärme, Regen und Kälte einschätzen kann.

Schuhe anziehen

Ein Einjähriges freut sich, wenn es seine Schuhe holen darf und Sie sie ihm anziehen. Viele Eltern können ein Lied von dem Nervenkrieg singen, den es um die Schuhe gibt: Kleinere ziehen sie gern immer wieder aus, Ältere wollen sie partout anbehalten, auch wenn sie den Dreck vom Spielplatz durch die ganze Wohnung tragen.

Auch die Schuhe der Erwachsenen anzuziehen ist für die Kinder immer wieder eine beliebte Beschäftigung. Es ist gar nicht so einfach für die einjährige Farina, in dem großen Schuh das Gleichgewicht zu halten.

Später wird sie versuchen, sich die eigenen Schuhe selbst anzuziehen. Bei den Gummistiefeln klappt das oft am leichtesten. Wenn das Kind noch älter ist, wird es die Schuhe allein anziehen und die Schuhbänder durch die Löcher stecken. Leichter geht dies bei den großen Schuhen der Erwachsenen. Farina fädelt die Schuhbänder immer wieder gern ein.

Aber wer beschäftigt sich heute noch mit Schnürsenkeln? Für die Kleineren gibt es die praktischen Klettverschlüsse, und schon bei den Acht- bis Zehnjährigen gilt es als besonders schick, die Bänder der Turnschuhe auf dem Boden schleifen zu lassen – sehr zum Ärger der meisten Eltern.

Jacke anziehen

Am Anfang des zweiten Lebensjahres läßt sich Ihr Kind vielleicht noch gern die Jacke anziehen. Es versucht, die Knöpfe auf- und zuzumachen wie Gloria auf dem Foto.

Später wird Ihr Kind immer häufiger und mit zunehmendem Geschick versuchen, sich die Jacke selbst anzuziehen. Geben Sie ihm nur noch soviel Hilfestellung wie nötig.

Mütze aufsetzen

Die meisten einjährigen Kinder setzen sich gern die Mütze auf. Sie wissen, daß es dann bald nach draußen geht.

Es gibt aber auch Kinder, die sich die Mütze immer wieder vom Kopf ziehen. Dies ist häufig ein Anlaß für Konflikte.

«Josephine zieht sich alles mögliche über den Kopf. Letzte Woche, als wir

Besuch hatten, kam sie plötzlich ganz stolz rein. Sie hatte sich eine Unter-
hose geholt und über den Kopf gezogen.»

Josephine hängt sich gern auch Ketten und Bänder um, besonders
dann, wenn sie müde ist.

Da Kinder in diesem Alter alles, was sie erwischen können, über den
Kopf ziehen, müssen Sie darauf achten, daß Ihr Kind weder Plastiktüten
noch Schnüre oder Bänder erreichen kann.

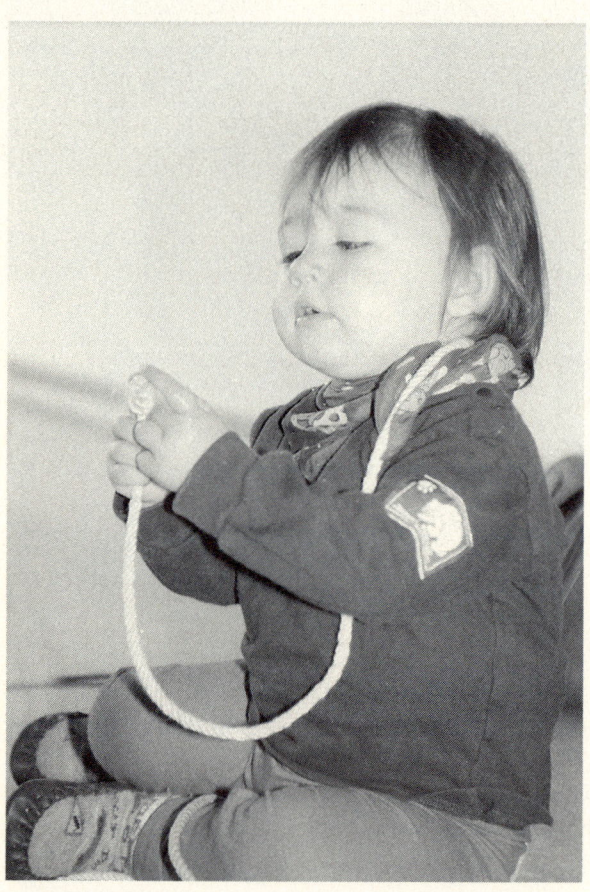

Treppen bewältigen

Nehmen Sie sich Zeit, mit dem Kind Treppen auf- und abzusteigen. Lassen Sie Ihr Kind am Anfang immer auf allen vieren die Treppe heraufkrabbeln und rückwärts hinunterkriechen wie das Kind auf dem Foto.

Je sicherer das Kind im Laufen wird, desto besser lernt es auch mit Treppen umzugehen. Sie brauchen weniger Ängste zu haben, daß Ihr Kind die Treppe hinunterfällt, wenn Sie es immer wieder üben lassen. Kinder, die nicht unter Aufsicht üben konnten, sind oft schon mit einzelnen Stufen überfordert.

Unterwegs will Ihr Kind große und kleine Treppen ausprobieren, wenn es das Treppensteigen beherrscht. Jeder Hauseingang will erklommen werden. So kann Ihr Kind am besten lernen, wie unterschiedlich Treppenstufen zu meistern sind.

Wenn Sie selbst ängstlich sind, wird sich Ihr Kind auch ängstlich verhalten. Es schaut Sie an, bevor es etwas Neues ausprobiert. Nimmt es in Ihrem Gesicht Angst oder Skepsis wahr, wird es sich die Treppe auch nicht zutrauen. Wenn Ihre Mimik dagegen Aufmunterung und Ermutigung signalisiert, wird es sich selbstbewußt an die Arbeit machen.

Auch wenn Ihr Kind hingefallen ist, wird es Sie ansehen und sich nach Ihrer Reaktion richten. Auf jeden Fall trösten Sie Ihr Kind, wenn es sich weh getan hat und weint. Gehen Sie über seinen Schmerz einfach hinweg, weiß es nicht, ob es seinen Gefühlen von Schmerz überhaupt trauen darf.

«Früher habe ich oft zu Anke gesagt, wenn sie nach einem Sturz weinte: ‹Es ist doch gar nicht so schlimm, daß du weinen mußt.› Einmal, nachdem ich es wieder gesagt hatte und sie nicht aufhörte zu weinen, sah ich, daß ihr Knie ganz schön blutete. Von da an habe ich besser hingeguckt und bewußter die vielen blauen Flecken wahrgenommen. Ich habe sie getröstet.»

Einkaufen «gehen»

Für viele Menschen sind die nächsten Einkaufsmöglichkeiten nur noch mit dem Auto zu erreichen. Vielleicht haben Sie ja ein kleines Geschäft in der Nähe, in dem Sie gemeinsam mit Ihrem Kind einmal wöchentlich etwas einkaufen können, auch wenn es ein bißchen teurer ist. Und der Supermarkt, der sowieso nur 10 oder 20 Gehminuten entfernt liegt, wird von Ihnen vielleicht häufiger mit dem Kinderwagen statt mit dem Auto angesteuert. Denn die frische Luft und der gemeinsame Weg tun Ihnen und Ihrem Kind gut.

Untersuchungen haben gezeigt, daß sich Erwachsene untereinander bei gemeinsamen Spaziergängen unterhalten. Wenn Eltern neben ihren Kindern hergehen, sind sie meist stumm oder weisen die Kinder zurecht. Beobachten Sie sich, wie Sie sich verhalten! Sehen Sie in Ihrem Kind einen Gefährten und keinen Gegner. Nehmen Sie sich Zeit, ihm etwas zu erzählen und es auf die vielen kleinen Dinge aufmerksam zu machen, die es unterwegs zu entdecken gibt: die Schwalbennester unter dem Hausdach beim Nachbarn gegenüber, den frisch gestrichenen Zaun bei Müllers, die roten Geranien vor den Fenstern von Meiers, die rot-braun gefleckte Katze, die sich auf der Mauer sonnt …

Fehlt es Ihnen an Gesprächsstoff? Dann reden Sie zum Beispiel über das, was Sie einkaufen wollen. So erleben sich die kleinen Kinder als gleichberechtigte Gesprächspartner, die von ihren Eltern ernst genommen und liebevoll beachtet werden.

«Ich mag gar nicht mehr mit Jonas im Buggy einkaufen gehen, seitdem er gelernt hat, sich hinzustellen. Obwohl ich ihn auf interessante Dinge aufmerksam mache oder ihm etwas vorsinge, bleibt er nicht sitzen, sondern steht auf und dreht sich immer zu mir um.»

Jonas mag nicht immer nach vorn gucken, wenn er im Wagen sitzt, da er Sie so nicht sehen kann. Stellen Sie sich vor, Sie sitzen vorn im Auto und unterhalten sich mit jemandem, der hinter Ihnen sitzt. Sie werden sich automatisch umdrehen, um so die Reaktionen auf die eigenen Worte sehen zu können. Dem Kind geht es nicht anders.

Wenn Sie einen Sportwagen haben, an dem Sie den Griff verändern können, probieren Sie aus, wann Ihr Kind sich wohler fühlt.

Wenn Ihr Kind schon seine ersten selbständigen Schritte macht, lassen Sie es so oft wie möglich laufen.

«Lukas ist ganz aufgeregt, wenn wir mit dem Kinderwagen losgehen. Er hat gerade laufen gelernt und freut sich, daß er den Wagen schieben darf. Wenn er müde wird, setzt er sich gern wieder hinein.»

> Regelmäßige Bewegung fördert die körperliche Entwicklung des Kindes, stärkt das Immunsystem und hilft, Selbstsicherheit und Selbstvertrauen zu entwickeln.

Dem Kind Zeit beim Gehen lassen

Am Anfang, wenn die Kinder gerade das Laufen gelernt haben, ist das Laufen selbst ihr Ziel. Kinder, die schon ein wenig länger laufen können, freuen sich, wenn sie den ganzen Weg laufen dürfen. Ziele zu erreichen, wird für sie erst später wichtig.

«Wenn ich Lukas frei laufen lasse, ist er schon an der ersten Straßenecke weit hinter mir.»

Es erfordert schon eine Menge Geduld und Zeit, bis das Ziel erreicht wird. Für kleine Kinder hat Zeit eine ganz andere Bedeutung als für uns. Die Hektik und Eile, die uns oft zu schaffen macht, hat sie zum Glück noch nicht erreicht. Vielleicht können wir uns ihnen einfach ab und zu ein wenig anschließen.

> Außerdem brauchen kleine Kinder mit ihren kurzen Beinen für jeden Weg dreimal so viele Schritte wie wir.

«Kira läuft inzwischen gut allein, aber leider immer in die Richtung, in die ich nicht gehen will. Wir nehmen jetzt immer den Puppenbuggy mit. Mit ihm behält sie meistens die Richtung bei.»

Auch Lukas auf dem Foto gegenüber schiebt den Puppenwagen gern, wenn er mit seiner Mutter in die Stadt geht.

Mit zunehmender Sicherheit wird das Laufen Mittel zum Zweck. Wenn das Kind fast zwei Jahre alt ist, wird es vorwärts, rückwärts und seitwärts laufen. Geben Sie Ihrem Kind oft die Möglichkeit zu laufen. Gerade dann, wenn Kinder das Laufen lernen, wollen sie es immer wieder ausprobieren und sind dabei sehr ausdauernd.

«Da meiner Schwiegermutter vom Arzt empfohlen wurde, viel zu laufen, bot sie sich an, jeden Morgen mit meinem Sohn im Buggy spazieren zu gehen. Als er laufen konnte, wollte er lieber laufen als gefahren werden. Am Anfang war es auch kein Problem. Irgendwann wurde er aber so schnell, daß meine Schwiegermutter nicht mehr hinterherkam. Deshalb muß Daniel jetzt wieder im Wagen sitzen bleiben.

Inzwischen ist es so, daß er schon freiwillig in den Buggy steigt und sich freut, gefahren zu werden.

Auch bei mir wollte er irgendwann nur noch mit Wagen los. Inzwischen weiß er aber, daß ich mit ihm immer laufe. Ich nehme schon lange keinen Buggy mehr mit.»

Auch die Mutter von Mathias hat eine Lösung gefunden, damit er laufen kann.

«Als Mathias frei laufen konnte, wollte ich ihn das auch so oft wie möglich ausprobieren lassen. Da wir aber an einer belebten Straße wohnen und

er auch auf die Straße lief, benutze ich den Laufgurt auf der Straße. Sobald wir die Fußgängerzone erreicht haben, kann er ohne Laufgurt laufen.»

Ein Laufgurt sollte nur in solchen Notfällen benutzt werden, da er Neugier und Bewegungsdrang der Kinder stark einschränkt.

Kinder, die gerade das Laufen gelernt haben, wehren sich oft dagegen, im Kinderwagen gefahren zu werden.

Auch wenn es zeitaufwendiger ist: Geben Sie diesem Wunsch, so oft es geht, nach! Sonst wird Ihr Kind bald aus Bequemlichkeit weiter im Wagen sitzen bleiben, obwohl es alt genug wäre, um zu laufen. So geht es ja auch uns Erwachsenen: Haben wir uns ans Auto gewöhnt, kostet es uns Überwindung, zu Fuß zu gehen.

Der Weg ist das Ziel
Die Bewegung ist alles
Der Mensch ist Mensch nur in der Entwicklung

Automatenautos

Vor vielen Supermärkten und Lebensmittelgeschäften sowie in Kaufhäusern stehen Autos, Motorräder und andere Fahrzeuge, die durch Geld in Gang gesetzt werden können. Für die meisten Familien werden sie zu einem ständigen Ärgernis, weil die Kinder Wutanfälle bekommen, wenn sie nicht fahren dürfen.

«Als unsere Anke klein war, bin ich oft mit ihr in die Fußgängerzone gegangen, weil sie da frei laufen konnte. Da mein Mann noch studierte, hatten wir wenig Geld, aber relativ viel Zeit. Anke durfte sich in jedes Auto oder ähnliches setzen, aber grundsätzlich ohne Geld. Sie spielte, und wenn jemand kam, der für sein Kind Geld hineinwerfen wollte, nahm ich sie runter, und wir gingen zu einem anderen Auto.

Wenn der Großvater mit ihr unterwegs war, wurde auch mit Geld gefahren. Sie machte bei mir dann auch mal Theater. Aber sie hat doch schnell begriffen, daß es bei uns anders war.»

Finden Sie für sich und Ihr Kind eine eigene Möglichkeit, wie Sie das Problem lösen wollen. Sagen Sie dem Kind Ihre Meinung und bleiben Sie konsequent, auch wenn es in aller Öffentlichkeit einen Wutanfall bekommt! Da ist es sicher nicht einfach, Ruhe zu bewahren. Aber wenn Ihr Kind merkt, daß sie sich schämen und unsicher werden, wird es noch lauter und länger schreien, um sich durchzusetzen.

Kleine Kinder wollen oft gar nicht auf diese Autos und weinen, wenn die Autos sich bewegen.

Einkaufswagen

Wenn Sie nun das Geschäft betreten haben, in dem Sie einkaufen wollen, läßt sich das jüngere Kind gern in den Einkaufswagen setzen, da es von seinem Sitz einen guten Ausblick hat. Wenn es aber längere Zeit dort sitzt, fängt es vielleicht an, sich zu langweilen. Geben Sie ihm die Gegenstände, die nicht zerbrechen, damit es sie in den Wagen fallen läßt.

Mit zunehmendem Alter will Ihr Kind nicht immer im Wagen sitzen bleiben. Wenn Sie Zeit und Ruhe haben, lassen Sie Ihr Kind laufen und geben ihm die Gegenstände, die es dann zum Wagen bringen kann. Vielleicht reicht Ihr Kind aber noch nicht über den Rand des Wagens, da es zu klein ist. Für solche Fälle gibt es in vielen Supermärkten inzwischen kleine Einkaufswagen für Kinder. Am Anfang benötigen die Kinder noch unsere Aufsicht, da sie einfach losschieben, ohne darauf zu achten, ob sie jemandem in die Hacken fahren. Wenn Ihr Kind noch älter ist, kann es den kleinen Einkaufswagen vielleicht verantwortungsvoll steuern.

Käse- oder Wursttheke finden

Wenn Sie meistens in einem bestimmten Supermarkt einkaufen, weiß das Kind, wo sich die Käsetheke befindet, und zeigt Ihnen den Weg.

«Farina läuft bei uns im Geschäft immer zuerst zur Wursttheke, da sie weiß, daß sie dort immer ein Stück Wurst bekommt. Zuerst wollte ich es eigentlich nicht, da ich nicht will, daß sie ständig rumnörgelt, um irgend etwas zu kriegen, aber das gehört jetzt zum Einkauf dazu. Was ich mir vorgenommen habe und nie mache, ist, irgendeine Süßigkeit oder ähnliches im Kassenbereich zu kaufen.»

An der Wurst- oder Käsetheke gibt es in vielen Geschäften für die Kinder etwas zum Probieren. Überlegen Sie sich vorher, ob Sie wollen, daß Ihr Kind zwischen den Mahlzeiten etwas ißt.

«Thomas bekam an der Wursttheke immer eine Scheibe Wurst. Er freute sich immer schon darauf. Eines Tages war eine andere Verkäuferin da, und es gab nichts. Er fing furchtbar an zu schreien. Ich konnte ihn ja verstehen. Er verstand nicht, warum er keine Wurst bekam. Ich habe ihm eine Scheibe ausgepackt und ihm erklärt, daß es keine Wurst mehr hier gibt. Um dieses

Geschrei nicht jedesmal zu haben, habe ich den Verkäuferinnen gesagt, daß er keine Wurst mehr haben soll.»

Erklären Sie dem Kind vor dem Einkauf, ob oder was es im Supermarkt zu essen bekommt, damit Sie nicht ähnliche Situationen wie die folgenden erleben.

«An der Kasse nebenan stand eine Mutter mit ihrem Kind im Einkaufswagen. Das Kind wollte ein Eis haben. Die Mutter sagte: ‹Es gibt jetzt kein Eis, erst im Sommer wieder.› Das Kind entdeckte die Eistruhe, zeigte drauf und sagte: ‹Doch Eis!› Ich guckte genauer hin. Im Wagen stand eine Teeflasche. In der einen Hand hielt die Mutter eine Fantadose, in der anderen eine Tüte mit Bonbons, mit denen das Kind gefüttert wurde.»

Dieses Kind hat gelernt: «Es stimmt nicht, was die Mutter sagt.» Es wird vielleicht in einer anderen Situation der Mutter auch nicht glauben, was sie sagt, und Dinge verlangen, die wirklich nicht möglich sind.

«An den Regalen mit Süßigkeiten stand eine Mutter mit ihrem Kind, das ein Brötchen in der Hand hielt. Das Kind wollte Süßigkeiten haben. Die Mutter sagte mit fester Stimme: ‹Du hast ein Brötchen bekommen. Das reicht.› Das Kind fing an zu quengeln. Die Stimme der Mutter klang nicht mehr ganz so fest, als sie sagte: ‹Nein, es gibt nicht jedesmal etwas Süßes.› Das Kind wurde lauter. Einige Leute schauten zu dem schreienden Kind. Die Mutter sagte: ‹Es ist aber heute das letzte Mal. Was willst du denn haben?›»

Dieses Kind hat gelernt: «Ich muß nur laut und lange genug schreien, dann bekomme ich, was ich möchte.» Kinder spüren genau unsere Unsicherheit in solchen Situationen und versuchen, sie instinktiv auszunutzen. Es ist nicht einfach, ruhig und konsequent zu bleiben und sich vielleicht noch die «Rat-Schläge» anderer anhören zu müssen. Auch lange Erklärungen bewirken beim Kind oft eine verlängerte Trotzhaltung. Tragen Sie Ihr wütendes Kind einfach an einen anderen Ort, an dem es das Streitobjekt nicht mehr sehen kann. Versuchen Sie nicht, den Trotz zu brechen. Trotzreaktionen sind für die Ich-Entwicklung wichtig, wenn auch nicht leicht zu ertragen.

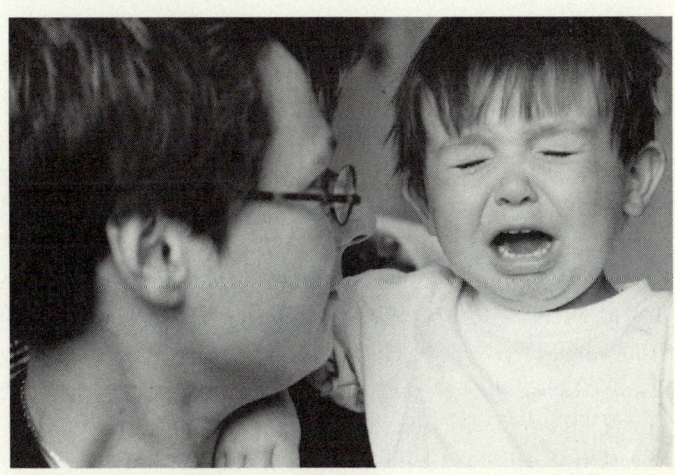

> Wenn Sie andere Mütter mit ihren Kindern in solch schwierigen Situationen sehen, sagen Sie vielleicht ein paar verständnisvolle Worte wie: «Das kenne ich auch!»

Dies erleichtert es, Situationen wie auf dem Foto zu meistern.

Waren suchen

Besondere Freude haben Kinder, die schon über zwei Jahre alt sind, wenn sie einzelne Teile holen dürfen. Überlegen Sie, was unzerbrechlich ist und in den unteren Regalfächern liegt, die die Kinder erreichen können. Die ersten Male holen Sie zusammen die Waren. Sie werden staunen, wie schnell Ihr Kind weiß, wo es z. B. die Nudeln suchen muß.

«Eine Zeitlang war es total nervig, mit Lena einkaufen zu gehen. Sie lief immer weg, und ich mußte ständig suchen. Irgendwann habe ich ihr gesagt, daß ich es nicht mehr mache. Sie lief trotzdem weg. Ich beobachtete sie so, daß sie mich nicht sehen konnte. Irgendwann wurde sie doch unsicher und fing an zu weinen. Ich rief sie, und sie kam. Ganz aufgehört hat sie zwar immer noch nicht mit dem Weglaufen. Dafür bin ich wohl einfach zu lange hinter ihr hergelaufen. Aber es ist besser geworden.»

Kinder im zweiten Lebensjahr entfernen sich immer ein wenig weiter von den Eltern. Damit Sie nicht in solche Situationen wie Lenas Mutter kommen, sollten Sie das Kind möglichst bald am Einkaufen beteiligen.

Waage bedienen

Besonders stolz sind die Kinder, wenn sie hochgenommen werden und auf die Knöpfe der elektronischen Waage drücken dürfen. Und als «Lohn» gibt es auch noch den Zettel, der nach dem Knopfdrücken aus der Waage kommt und auf das Gemüse geklebt werden darf.

Die Waagen im Supermarkt sind so hoch, daß das Kind noch viele Jahre warten muß, bis es allein heranreicht. Bücken Sie sich doch manchmal bis zu der Höhe der Kinder und nehmen Sie den kleinen Ausschnitt des

Geschehens wahr, den die Kinder sehen, wenn sie auf dem Boden stehen. Das Kind auf dem Foto wird von seiner Oma hochgehalten und kann so ganz konzentriert den Preis auf die Bananen kleben.

Waren aufs Kassenband legen

Kinder freuen sich, wenn wir ihnen einzelne Teile geben, damit sie sie aufs Kassenband legen dürfen. Wenn Sie Ihrem Kind etwas zum Essen gekauft haben, öffnen Sie die Ware nicht vor der Kasse, sondern geben Sie sie ihm erst, nachdem Sie gezahlt haben. Das erhöht die Frustrationstoleranz, und das Kind lernt, auch in anderen Situationen auf etwas warten zu können.

Einkäufe nach Hause tragen

Auch dabei können Kinder helfen. Legen Sie einige Sachen in eine kleine Tasche oder einen kleinen Rucksack, und das Kind wird die Dinge stolz nach Hause tragen.

Lob ist eine gewaltige Antriebskraft,
dessen Zauber seine Wirkung nie verfehlt.

Waren wegräumen

Zu Hause kann Ihr Kind den Einkauf auspacken und Ihnen die Sachen zum Wegräumen geben.

Einiges kann es später allein an seinen Platz bringen: z. B. die Windeln ins Bad tragen, das Obst auf die Obstschale legen oder, wie Kira auf dem Foto, die Dose in den Schrank stellen.

Einkaufen spielen

Die Kinder freuen sich, wenn Sie mit ihnen Situationen aus dem Alltag nachspielen.

«Das Bügelbrett lag noch im Wohnzimmer. Ich spielte mit meinem Sohn Einkaufen. Ich reichte ihm die Sachen über die Theke, so wie ich früher Kaufladen gespielt habe. Mein Sohn nahm die einzelnen Teile, zog sie über die ganze Länge des Brettes und sagte jedesmal dabei ‹Piep›. Ich schaute mir das eine Weile verständnislos an, bis mir klar wurde, daß das Bügelbrett für ihn das Kassenband war und er die Ware durch die Scannerkasse zog.»

So wie in diesem Beispiel werden wir das Verhalten unserer Kinder manches Mal nicht verstehen oder falsch interpretieren.

Versuchen Sie, sich in die Sicht des Kindes mit seinem eigenen bisherigen Erfahrungsschatz zu versetzen. Wenn Ihre Deutung mit der Erlebniswelt Ihres Kindes übereinstimmt, helfen Ihre Worte bei der Klärung und Strukturierung seiner Welt.

Überprüfen Sie an Mimik, Gestik und Verhalten, ob Sie seine Gefühle richtig eingeschätzt haben. Es wird nämlich dann problematisch, wenn die elterlichen Vorstellungen von den Gefühlen und der Persönlichkeit des Kindes mit dessen eigenen Wahrnehmungen nicht übereinstimmen und Sie dem Kind Ihre Erlebniswelt andichten.

Oft passiert dies, wenn wir etwas besonders schön oder wichtig finden und uns deshalb gar nicht rückversichern, ob unsere Kinder es genauso empfinden. Denken Sie nur an die weinenden Einjährigen auf einem Karussell oder an die erstarrten Kinder auf dem Arm des Nikolaus, zu denen die Eltern sagen, daß sie doch jetzt etwas ganz besonders Schönes erlebt hätten.

> In jeder lebendigen Eltern-Kind-Beziehung stoßen wir
> auch an unsere Grenzen und machen Fehler.

Diese Fehler geschehen immer wieder und sind, wenn sie nicht zu häufig passieren, wichtig und notwendig. Sie helfen dem Kind, eine eigene Art des Umgangs mit Erfahrungen (auch negativen) und mit Menschen zu entwickeln. Dabei lernen sie, sich abzugrenzen und eigene Lösungen zu finden.

Handtasche aus- und einräumen

Kleine Kinder freuen sich, wenn sie Handtaschen ausräumen dürfen. Die Brieftasche ist für das Kind auf dem Foto von besonderem Interesse.

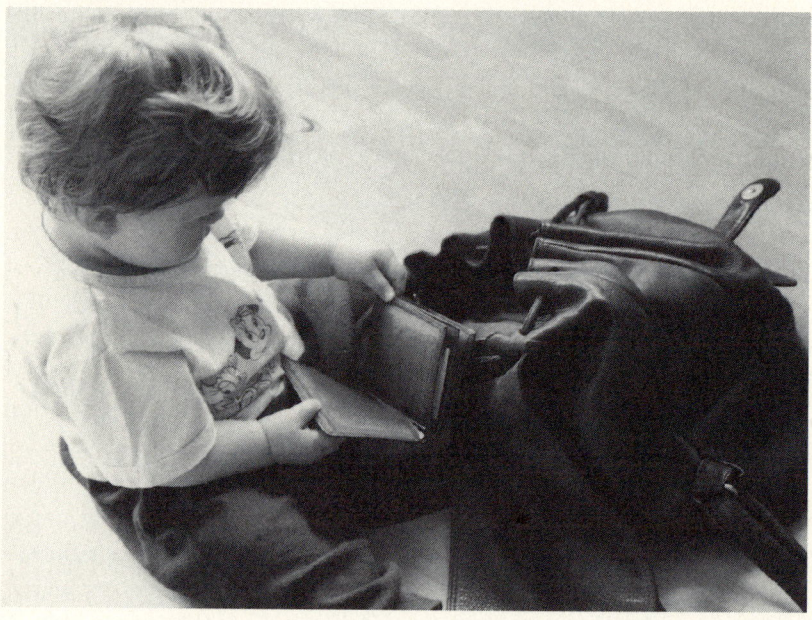

Handwerkliche Arbeiten im Haushalt

In den meisten Familien werden die Väter für kleine Reparaturarbeiten zuständig sein. Da schauen Mädchen genauso wie Jungen gerne zu und wollen auch schon helfen. Besonders interessant ist das, weil die meisten Kinder ihre Väter seltener als ihre Mütter bei der Arbeit beobachten können.

Bei Ihnen in der Familie wird es hoffentlich so sein, daß der Vater diese Gelegenheit freudig wahrnimmt, um sich mit seinem Kind zu beschäftigen. Denn es ist wichtig, daß Kinder auch schon in diesem Alter genügend Zeit mit ihrem Vater verbringen. Sie lernen, daß er sich in vielen Bereichen anders verhält. Außerdem ist es für die Mutter, die viel Zeit mit dem Kind verbringt, eine willkommene Abwechslung, mal etwas für sich zu tun.

Nägel reichen und ordnen

Schon kleine Kinder können mit dem «Zangengriff» die Nägel aus dem Werkzeugkasten holen und Ihnen reichen. Später ordnen sie mit großer Konzentration die Nägel nach Größe und Dicke in kleine Dosen.

«Als ich meiner Tochter den Unterschied zwischen Nägeln und Schrauben erklärt hatte, hat sie alle Schrauben und Nägel getrennt in Schachteln geräumt.»

Was das Leben ausmacht, sind nicht die Ziele, sondern die Wege zum Ziel. (P. Baum)

Nägel einschlagen

Sie können Ihrem Kind im zweiten Lebensjahr ein Stück Kork geben, in das es die Nägel drücken darf.

Wenn Ihr Kind ein wenig älter und geschickt mit seinen Händen ist, kann es mit einem Kinderhammer oder einem kleinen Hammer anfangen, Nägel, die wir ein wenig festgeschlagen haben, in ein weiches Holzbrett zu hämmern.

Noch ältere Kinder hämmern ihre Nägel selbst aufs Brett. Wenn Sie merken, daß Ihr Kind besondere Freude und handwerkliches Geschick zeigt, fördern Sie diese Fähigkeiten, indem Sie ihm oft Möglichkeiten zu handwerklichen Arbeiten geben. Lassen Sie Ihrem Kind die Zeit, seine Ideen in Ruhe in die Tat umzusetzen.

Allerdings müssen Sie im Keller immer alle Elektrogeräte, Farben und das Handwerkszeug so wegräumen, daß Ihr Kind sie nicht erreichen kann. Es sollte sich nie allein im Keller oder in Hauswirtschaftsräumen aufhalten, damit auch kein Unfall mit der Waschmaschine, der Tiefkühltruhe oder anderen Geräten passieren kann.

> Kinder brauchen Zeit, um aus ihrem eigenen Rhythmus heraus ihr Vorhaben nach ihrer eigenen Vorstellung zu meistern, ohne gehetzt, ermahnt oder sonstwie beeinflußt zu werden.

Leiter ausprobieren

Leitern üben eine große Faszination auf Kinder aus. Sie können sich eine neue Dimension erschließen und müssen gleichzeitig ein Höchstmaß an Geschicklichkeit und Koordination aufbringen, um die Sprossen nacheinander zu erklimmen.

Natürlich stehen Sie bei diesen Erkundungen bereit, um einzugreifen, falls Ihr Kind eine Sprosse nicht erreicht oder aus anderen Gründen herunterzufallen droht.

Am schwierigsten ist es, wieder herunterzuklettern. Machen Sie ihm

Mut, es allein zu versuchen. Wenn Sie gleich eingreifen und das Kind von oben in Ihre Arme springt, wird es nicht lernen, die Situation bis zum Ende zu meistern. Führen Sie eventuell den kleinen Fuß bis zur nächsten Sprosse, dann wird es den Halt eine Sprosse tiefer vielleicht selber mit dem Fuß ertasten.

Das Kind lernt und experimentiert gerade bei so einer Aufgabe intensiv mit seinem Körper. Wenn es diese schwierige Aufgabe geschafft hat, wird es stolz sein. Machen Sie ihm Mut, weitere Versuche zu wagen.

> Das Kind übt jetzt schon die Verhaltensweisen ein, nach denen es auch später Lösungen für Probleme finden wird.

Aus diesem Grunde ist es wichtig, daß Kinder eigenständig oder mit uns zusammen Wege finden. Wenn wir ihm die Problemlösungen abnehmen, wird es auch später unselbständig bleiben.

Flaschen und Gläser in Kästen räumen

Flaschen und Gläser können gemeinsam für den Container in eine Wanne gepackt werden. Ein älteres Kind, das schon gelernt hat, einzelne Farben auseinanderzuhalten, kann die braunen, grünen und weißen Flaschen in verschiedene Behälter tun und beim Container die passenden reichen oder sogar selbst einwerfen:

«Besonders viel Freude macht es meinem Sohn, wenn ich ihn hochhalte, die Glasteile in die Container zu werfen und zu hören, wie sie laut aufschlagen.»

Zeitungen in Karton packen

«Meine Tochter packt inzwischen die Zeitungen ordentlicher aufeinander als ich. Vor einer Woche hatte sie einen so hohen Packen aufeinandergelegt, daß die obersten Zeitungen wieder runterrutschten. Da war sie ganz geknickt, obwohl ich ihr sagte, daß mir das auch schon oft passiert sei.»

Achten Sie aber darauf, was im Altpapier gelandet ist:

«Zum Glück kommt Farina noch nicht an den Papiercontainer, so daß ich das Papier selbst hineinwerfe. Gestern muß sie die Packung mit den Fotos ins Altpapier geworfen haben. Ich fand sie beim Ausleeren.»

Kinder sollen die Grenzen ihres Könnens ausprobieren, um auch zu lernen, Grenzen zu überwinden.

Auto waschen

Geben Sie Ihrem Kind einen Schwamm oder einen Lappen und lassen Sie es den Wagen mitwaschen.

Wenn die Temperatur es zuläßt, kann es dabei ruhig naß werden. Ansonsten ziehen Sie ihm seinen Regenmantel an oder eine große Plastiktüte mit ausgeschnittenem Loch für den Kopf und Gummistiefel für die Füße.

Auto pflegen

Es macht den Kindern mit zunehmendem Alter auch Freude, den Fußboden im Auto zu fegen oder die Politur mit Watte wegzureiben.

«Miriam durfte am Anfang immer die Radkappen blank wischen. Als sie das recht gut konnte, ließ mein Mann sie auch andere Teile des Autos bearbeiten.»

Denken Sie aber daran: Auch im Auto oder in der Garage sollen Kinder – wenn überhaupt – nur dann spielen, wenn Sie selber in direkter Nähe sind.

> Kinder können sich bei ihrer Arbeit sehr gut konzentrieren.
> Wir Erwachsenen sollten die Ruhe haben, dies wahrzunehmen,
> zu akzeptieren und eigene Vorstellungen zurückzustellen.

Auto fahren mit Kindern

Um den Kindern das ruhige Sitzen beim Autofahren zu erleichtern, können Sie mit ihnen singen, ihnen Geschichten erzählen, sich mit ihnen unterhalten oder mit älteren Kindern eine Kassette anhören. Wenn Sie ihnen Spielsachen geben, binden sie diese fest, so daß sie nicht herunterfallen bzw. die Kinder sie am Band wieder hochholen können. Auf jeden Fall sollten Kinder im Auto immer in ihrem Kindersitz festgeschnallt sein.

Mit dem Kind Fahrrad fahren

Kinder ab einem Jahr fahren gern auf dem Fahrrad mit uns. Sie schauen ständig zur Seite, da sie sonst nur unseren Rücken sehen. Machen Sie häufig Pausen, damit sich Ihr Kind bewegen und eine andere Haltung einnehmen kann. Auch sollten Sie möglichst keinen Rucksack auf dem Rücken tragen, da er die Bewegungsfreiheit des kleinen Mitfahrers noch mehr einschränkt.

Die Fahrradpumpe ist ein beliebtes Spielzeug.

Dreirad fahren

Viele Kinder bekommen im zweiten Lebensjahr schon ein Dreirad. Warten Sie, bis Ihr Kind die Reife hat, die Pedale des Dreirads zu treten und das Rad zu lenken.

Bedenken Sie, Kinder im zweiten Lebensjahr können noch nicht vorausschauend Gefahren wahrnehmen.

Im zweiten Lebensjahr fahren die Kinder gern auf ihrem Rutschauto, das sie im Laufe der Zeit gut zu beherrschen lernen.

«Kira sah im Hausflur ein Dreirad stehen und fuhr los. Ich sah sie auf die Kellertreppe zufahren, konnte aber so schnell gar nicht eingreifen. Zum Glück hakte das Dreirad an der zweiten Stufe.»

«Wir hatten unserem Sohn, als er zwei Jahre alt wurde, ein Dreirad gekauft. Er fuhr im Hof schon recht gut. Nach einer gewissen Zeit habe ich eine Stange gekauft, mit der ich ihn schieben konnte. Seitdem will er nicht mehr allein mit dem Dreirad fahren, sondern immer geschoben werden.»

Auch hier gilt wieder: Lassen Sie das Kind seine eigenen Erfahrungen machen, und nehmen Sie ihm nicht die ganze Arbeit ab.

Im Freien
und bei der Gartenarbeit

Kleine Kinder bewegen sich gern an der frischen Luft. Wenn Sie keinen Garten haben, gehen Sie mit Ihrem Kind oft nach draußen auf Spielplätze, in den Wald oder in den Park.

Die Kinder werden sich von Ihnen entfernen, aber immer wieder zurückkehren. Am Anfang ist die Bezugsperson in einer fremden Umgebung wichtig. Nach einiger Zeit überwiegt die Neugier, und das Kind entfernt sich von Ihnen. Sie bleiben aber das emotionale und geographische Zentrum, zu dem Ihr Kind, in immer größeren Abständen und aus immer größerer Entfernung, wieder zurückkehrt. Es liest in Ihrem Gesicht, ob Sie seine «Ausflüge» akzeptieren. Wenn Ihr Kind Sie plötzlich nicht mehr sieht, gerät es leicht in Panik und ruft nach Ihnen oder weint. Wenn Sie antworten und Ihr Kind auf den Arm nehmen, dann wird es sich schnell beruhigen.

Lassen Sie Ihrem Kind Zeit, Neues auszuprobieren, und verhalten Sie sich nicht so wie die Mutter, die ich neulich auf dem Spielplatz erlebte: Sie sagte ermutigend zu ihrem kleinen Kind, das auf die Rutschbahn klettern wollte: «*Das schaffst du schon.*» Das Kind kletterte langsam und behutsam Stufe für Stufe hinauf. Der Mutter schien es jetzt doch zu lange zu dauern, und so wurde sie ungeduldig: «*Jetzt beeil dich aber!*» Das Kind bewegte sich hastig, erwischte eine Stufe nicht richtig und wäre fast hinuntergefallen. Es stieg wieder hinab, und die Mutter ging mit ihm davon.

Fangen spielen

Kinder, die sicher allein laufen, freuen sich, wenn wir sie fangen. Versuchen Sie mal, dabei genauso kleine Schritte wie Ihr Kind zu machen. Es wird Ihnen nicht so schnell gelingen, Ihr Kind zu erreichen.

Balancieren

Ihr Kind wird sich mit zunehmender Sicherheit beim Laufen immer schwierigere Wege suchen. Am Anfang benötigt es unsere Hilfe, wenn es seinen Gleichgewichtssinn übt und auf einer Mauer balanciert. Später beherrscht es diese Kunst allein.

«Wenn ich mit Miriam spazierengehe, kommen wir an Gärten vorbei, die durch einen Bordstein vom Gehweg getrennt sind. Miriam geht immer mit einem Fuß auf dem Bordstein und mit dem anderen Fuß auf dem Gehweg. Dabei muß sie ganz schön aufpassen, daß sie nicht die Balance verliert.»

Bäume umkreisen

Ein Spiel, das Kinder lieben. Es ist gar nicht so einfach, dabei das Gleichgewicht zu halten. Besonders viel Freude hat Ihr Kind, wenn Sie hinter ihm her laufen und sich nach einer Weile umdrehen, so daß es Ihnen in die Arme läuft. Es empfindet in so einem Moment «Wonneangst». Die Kinder erschrecken und freuen sich gleichzeitig.

Durch Pfützen laufen

Nach einem Regenguß gibt es draußen jede Menge herrlicher Spielplätze: Sie brauchen nur wetterfeste Kleidung herauszusuchen (Gummistiefel!) – und schon werden Sie ein rundum zufriedenes Kind haben, das sich stundenlang mit den kleinen Seen beschäftigt. Da kann man hineinspringen, Stöckchen darauf schwimmen lassen, der Himmel spiegelt sich auf der Oberfläche …

Matsch

Durch Nässe entsteht auch ein anderes verführerisches Spielzeug: Matsch.
Ein absoluter Favorit bei allen Kindern, vorausgesetzt, der unbekümmerte
Umgang mit dem Dreck wurde ihnen nicht von den Erwachsenen verlei-
det.

Lassen Sie Ihr Kind nach Herzenslust matschen, formen, graben ...
Wasser macht ja hinterher auch alles wieder sauber.

Laub

Ein herrliches Material: Man kann es mit beiden Händen greifen, lustvoll
in die Luft werfen und beobachten, wie die einzelnen Blätter wieder zu
Boden segeln. Nasse Blätter kommen schneller wieder unten an, trockene
schweben länger durch die Luft.

Im Laub finden sich oft kleine Tiere. Nasses Laub fühlt sich anders an
als trockenes. Sein Geruch ist viel intensiver. Es gibt die verschiedensten
Grüns zu beobachten und im Herbst herrliche Gelb-, Braun- und Rot-
töne.

> Je mehr wir ein Kind gewähren lassen, desto mehr Erfahrungen
> kann es sammeln und um so größer wird sein Erfahrungswissen.
> Erfahrung ist nicht lehrbar. Jeder Mensch muß das Leben
> auf seine eigene Weise erfahren.

Blumen pflücken

Wenn die ganze Wiese voller Gänseblümchen steht, wird Ihr Kind sicher
gerne einen Strauß pflücken. Auch wenn der oft noch etwas zerrupft aus-
sieht, können Sie ihn trotzdem zu Hause arrangieren:

*«Jonas hat am Anfang immer nur die Blumenköpfe abgepflückt, da er sie
am schönsten fand. Ich habe ihm zwar erklärt, daß er die Blumen mit Sten-
geln pflücken sollte, aber das fiel ihm lange schwer. Die Blumenköpfe lege ich*

in eine Schale, und manchmal kommen noch einige Steine dazu, die mein Sohn gesucht hat. Das sieht richtig gut aus.»

Blumen gießen

«Meine Tochter gießt draußen immer die Blumen mit ihrer Kindergießkanne. Manchmal nimmt sie auch den Sandeimer. Damit zu gießen, fällt ihr schon schwerer.»

Besorgen Sie für Ihr Kind eine eigene kleine Kanne. Auf dem Foto sehen wir, daß Kinder manchmal auch schon mit der großen Gießkanne zurechtkommen.

> Die einfachsten Erlebnisse sind es,
> von denen wir am meisten zehren.

Den Duft der Blumen wahrnehmen

Blumen fühlen sich nicht nur unterschiedlich an, sie duften auch ganz verschieden: die einen mehr, die anderen weniger intensiv, mal eher süß, manchmal ein bißchen streng…

«Wenn ich mit Marvin im Garten bin, riechen wir an allen Blüten. Wenn sie duften, freut er sich. Er weiß inzwischen schon recht gut, an welchen er nicht zu riechen braucht.»

Verwelkte Blüten abschneiden

Blumen werden, wie alles andere auch, genau angeschaut und möglichst auch untersucht.

Das läßt sich gut realisieren bei verwelkten Blüten.

Manchmal kann man sie einfach abreißen. Das macht natürlich besonderen Spaß.

«Ich habe meiner Tochter erlaubt, mit ihrer Kinderschere alle Blüten, die

*braun und hart sind, abzuschneiden. Sie tut sie dann in ihren Eimer, und
wenn er voll ist, bringt sie ihn zum Kompost.»*

Dabei kann es aber leicht passieren, daß das Kind in seiner Konzentration (oder Begeisterung) alle Blüten abschneidet. Kein Anlaß zum

Schimpfen, sondern eine Möglichkeit, den Unterschied zwischen abgestorbenen Blüten, voll erblühten Blumen und zarten Knospen zu erklären.

Gemeinsam harken

Der Rasenschnitt oder im Herbst die herabgefallenen Blätter können gut mit Hilfe des Kindes zusammengeharkt werden. Vielleicht hat es dafür eine spezielle kleine Harke. Oder es hat auch Freude daran, das Laub, das Sie zusammengeharkt haben, in einen Korb oder Eimer zu füllen und auf den Kompost zu bringen oder auf den Beeten als Mulch zu verteilen. Und dabei gibt es manchmal auch Spezialaufgaben zu lösen:

«Mein Sohn hat immer die Regenwürmer aus dem Laub gesammelt und sie wieder unter die Bäume gebracht.»

Gartenschlauch

Bei großer Hitze im Sommer bespritzen große und kleine Kinder gern die Blumen und sich selber mit dem Wasserschlauch wie das Kind auf dem Foto.

Gartengeräte wegräumen

Wenn Sie mit der Gartenarbeit fertig sind, ergibt sich wieder eine gute Gelegenheit, dem Kind spielerisch beizubringen, daß man nach getaner Arbeit aufräumt.

«Wenn ich im Garten gearbeitet habe, räumt meine fast zweijährige
Tochter Lara hinterher die kleinen Geräte wieder an ihren Platz.»

> Man kann viel, wenn man sich nur recht
> viel zutraut. (Wilhelm von Humboldt)

Wenn Sie Ihrem Kind bei seinem Spiel und seiner Arbeit zuschauen, haben Sie vielleicht noch viel mehr und viel bessere Ideen, was Ihrem Kind
Freude macht.

Geschwister, andere Kinder und große Leute

Schon kleine Kinder können mit verschiedenen Menschen soziale Beziehungen eingehen. Kleinfamilien, besonders mit Einzelkindern, nehmen zu. Suchen Sie nach unterschiedlichsten Kontakten für Ihr Kind und Ihre Familie.

Geschwister aufs Baby vorbereiten

Wenn Sie ein Baby bekommen, ist es wichtig, die größeren Geschwister frühzeitig miteinzubeziehen. Schon in der Schwangerschaft sollten die Kinder über die anstehende Veränderung informiert werden. Sie merken nämlich auf jeden Fall, daß sich etwas verändert. Auch wenn Ihr Kind noch recht klein ist, erzählen Sie ihm von dem Baby im Bauch, zeigen Sie ihm Bilder von Ungeborenen im Mutterleib und lassen Sie es den Bauch streicheln.

«Gloria war erst eineinhalb Jahre alt, als unsere Antonia geboren wurde. Die letzten Wochen vor der Geburt habe ich jeden Tag morgens oder nachmittags etwas mit Gloria fürs Baby getan. Wir haben den Stubenwagen geholt, die Wäsche gewaschen und geordnet. Gloria wußte genau, wofür das war. Auch hat sie selbst eine Puppe bekommen, mit der sie Baby spielt.»

Besonders schön finden es Kinder, die Bewegungen im Mutterleib zu spüren.

Umgang mit Eifersucht

Viele Kinder, die Geschwister bekommen, sind mit der neuen Situation überfordert. Bei den einen stellen sich Ängste und Eifersucht recht schnell ein, bei anderen erst später, z. B. wenn das Baby krabbeln kann und die eigenen Spielsachen benutzt. Ist das Baby da und das ältere Geschwister reagiert eifersüchtig, versuchen Sie, es zu verstehen.

Wie würde es Ihnen gehen, wenn Ihr Mann oder Ihre Frau plötzlich eine Zweitfrau oder einen Zweitmann mitbringen würde, die oder der ab sofort ohne jede Diskussion zum gemeinsamen Haushalt dazugehören sollte, und Ihnen würde gesagt, das sei doch kein Grund zur Eifersucht.

Kinder bis zu zwei Jahren zeigen meist ihre Eifersucht sehr direkt, indem sie aggressiv oder traurig werden. Kinder wollen mal als Große und mal als Kleine behandelt werden. Wenn ein Geschwisterchen da ist, wollen sie selber verstärkt klein sein. Lassen Sie es zu, daß Ihr Kind wieder gefüttert werden oder wieder eine Windel haben oder Baby spielen will. Es gibt ihm Sicherheit in dieser schwierigen, mit vielen Unsicherheiten und Ängsten besetzten Situation.

Erklären Sie Ihrem großen Kind, daß so ein kleines Baby mit seinen Bedürfnissen noch nicht warten kann, Sie sich aber hinterher intensiv mit dem großen Kind beschäftigen. Vergessen Sie das nicht, sonst fühlt sich das «Große» nicht ernst genommen.

Wenn Ihr Kind seine Wut und Eifersucht ausspricht, bagatellisieren Sie sie nicht, sondern zeigen Sie Verständnis und fragen, was sie tun können, damit es für Ihr Kind leichter wird. Manchmal reicht es schon, daß Sie erklären, Ihr Herz sei für beide Kinder groß genug, oder daß Sie und Ihr Partner gemeinsam mit dem älteren Geschwister am Morgen kuscheln. Dann sieht die Welt schon wieder freundlicher aus.

Das ältere Kind, das noch nicht lange selbständig laufen kann, freut sich, wenn es z. B. einen Sitz auf dem Kinderwagen hat oder selbst im Buggy gefahren und das Baby im Tragetuch getragen wird. Bitten Sie Ihre Verwandten und Freunde, dem älteren Kind weiterhin Aufmerksamkeit zu schenken und nicht hauptsächlich dem Baby.

Ältere Geschwister in die Pflege miteinbeziehen

Wenn das Baby da ist, beziehen Sie Ihr älteres Kind mit in die Pflege ein. Auf dem Foto sehen wir Gloria, die bei jedem Wickeln, außer nachts, die Aufgabe übernommen hat, das Baby einzucremen.

«Als mein Sohn Jonas ein Jahr alt war, fütterte seine zweieinhalbjährige Schwester ihn oft. Eine Zeitlang wollte er sich nur von Pia etwas zu essen geben lassen. Da war sie ziemlich stolz.»

Miteinander schmusen

Kinder schmusen gern mit ihren jüngeren Geschwistern. Obwohl sie dabei nicht immer behutsam sind, finden es die Kleineren trotzdem schön.

Manchmal sind die größeren Geschwister auch zu stürmisch. Dann sollten Sie ohne zu schimpfen das Baby zu sich nehmen.

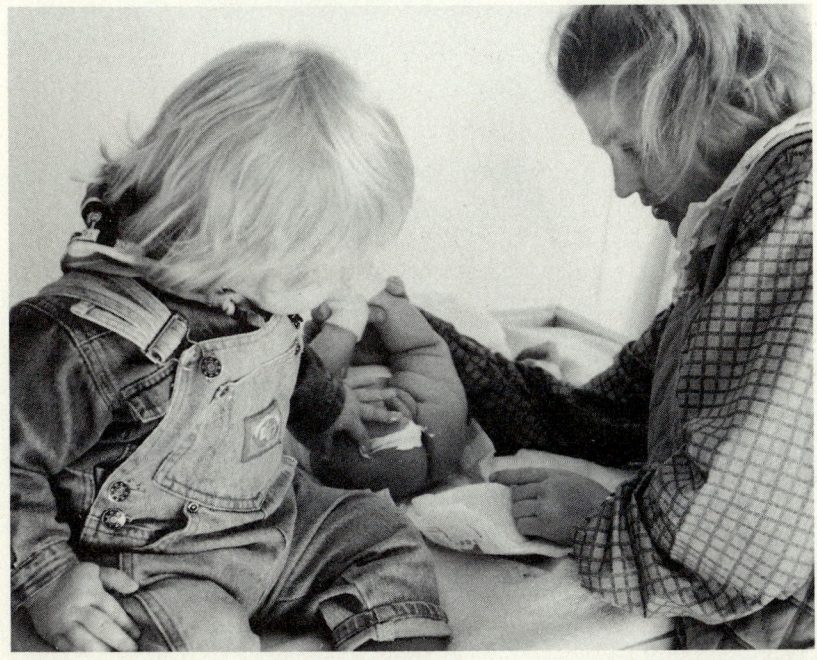

Miteinander spielen

Anna Lena genießt das gemeinsame Spiel mit ihrer Schwester Carolin.

Etwas ältere Kinder machen mit Nachdruck auf sich aufmerksam und wollen erreichen, daß die größeren Geschwister mit ihnen spielen. Sie nehmen den Großen z. B. den Stift weg, wenn diese gerade schreiben. Haben sie damit häufig Erfolg, werden sie in ihren Störaktionen nur noch bestärkt. Sprechen Sie mit Ihren älteren Kindern, ob sie vielleicht

eine bestimmte Zeit am Tag mit ihren Geschwistern spielen. Beliebt ist die Zeit vor dem Schlafengehen, da jetzt mit Freunden kein Spiel mehr möglich ist. Wenn Ihr Kind nicht mit den Kleinen spielen will, akzeptieren Sie auch das. Erzwungenes Spiel endet selten gut.

Konflikte selber lösen lassen

Geschwister streiten oft. Das ist auch unvermeidbar. Viele Kämpfe werden inszeniert, um die Eltern darin zu verwickeln. Sie sollten nur eingreifen, wenn das Machtgefälle sehr groß ist. Nehmen Sie nicht immer die Kleinen in Schutz. Die meisten können sich recht gut wehren.

Miteinander sprechen

Erstgeborene sprechen meist früher, da mehr mit ihnen gesprochen wird. Kinder zwischen zwei und vier Jahren sind ideale Gesprächspartner für kleine Kinder, da sie sich sprachlich einfach ausdrücken. Ermuntern Sie Ihre größeren Kinder, ihren Geschwistern etwas zu erzählen.

> *Gerechtigkeit ist nicht, alle Kinder gleich zu behandeln.*
> *Gerechtigkeit ist, jedem Kind gerecht zu werden.*

Kontakte zu anderen Kindern

Wenn Sie mit Ihrem Kind auf den Spielplatz gehen, wählen Sie Plätze, auf denen sich Mütter mit gleichaltrigen Kindern aufhalten, und Zeiten, zu denen andere Mütter auch mit ihren Kindern dort sind. Ihr Kind wird am Anfang noch oft allein spielen, aber im Laufe der Zeit werden die Kontakte zu anderen Kindern intensiver, und auch Sie haben die Möglichkeit, mit anderen Eltern zu reden.

Spielgefährten finden sich auch in der Nachbarschaft. Sprechen Sie mit den Eltern und laden Sie die Kinder einfach ein.

Ihr Kind lernt in einer Spielgruppe andere Kinder kennen. Diese Gruppen werden von Familienbildungsstätten, Kirchengemeinden, Arbeiterwohlfahrt (AWO), Deutschem Roten Kreuz (DRK), Volkshochschulen (VHS) oder Bürgerzentren in einzelnen Stadtteilen angeboten.

Auch Sie lernen dort andere Familien mit gleichaltrigen Kindern kennen und können Freundschaften schließen.

Andere Kinder besuchen

Oder Sie machen einen Besuch bei den Nachbarn. Die ersten Male möchte Ihr Kind vielleicht noch, daß Sie dableiben. Wenn es die fremde Umgebung besser kennt, wird es immer länger allein dort spielen wollen.

Kinder «austauschen»

Babysitter sind teuer und manchmal auch nicht verfügbar. Wenn Sie einige Stunden ohne Ihr Kind sein wollen, vereinbaren Sie doch mit einer anderen Familie, daß Sie einmal beide Kinder betreuen und ein anderes Mal Sie Ihr Kind dorthin bringen. Im Laufe der Zeit gewöhnen die Kinder sich immer mehr aneinander, und es ist für Sie sogar eine Entlastung, wenn Ihr Kind einen Spielgefährten zu Hause hat.

> Wichtig ist es, daß Sie Ihre Phantasie spielen lassen, um sich selbst Entlastung zu verschaffen.

Gemeinsam mit anderen Müttern kochen

Laden Sie einmal in der Woche eine andere Familie ein, um das Essen gemeinsam zuzubereiten. Die Kinder freuen sich, ein anderes Kind oder andere Kinder zu sehen und mit ihnen etwas gemeinsam zu tun, und Sie können auch den manchmal recht monotonen Alltag allein mit Kind zu Hause durchbrechen.

Wenn Ihre Wohnung groß genug ist, können mehrere Familien an diesem Essen teilnehmen.

Kochen für zwei Familien

Entlastend bei dem täglichen Einerlei ist es auch, ab und zu für eine andere Familie mitzukochen, um ein anderes Mal selbst bekocht zu werden. Das hat manchmal positive Auswirkungen auf das Eßverhalten Ihres Kindes:

«Miriam mochte zu Hause kein Gemüse essen, wenn wir aber woanders essen, ißt sie genau wie die anderen Kinder das Gemüse. Zu Hause wird es allmählich auch besser.»

Im Grunde sind es doch die Beziehungen zu den Menschen, die dem Leben seinen Wert geben. (Marc Aurel)

Essen bei Verwandten

Wenn Sie Verwandte in der Nähe haben, mit denen Sie sich gut verstehen, fragen Sie doch einfach mal, ob man sich beim Essenkochen nicht ab und zu abwechseln kann. Vielleicht freut sich auch Ihre Mutter oder eine andere Verwandte, wenn sie ab und zu für Ihre Familie kochen darf.

«Ich gehe zweimal die Woche zum Arbeiten. Mein Sohn Phillip ist dann bei meinen Eltern. An einem Tag bleibe ich noch zum Essen da, bevor ich mit meinem Sohn nach Hause gehe. An dem anderen Tag nehme ich das Essen für unsere Familie mit nach Hause und brauche so nichts mehr für meinen Mann zu machen, was mich sehr entlastet, da ich sowieso nicht so gern koche.»

Kochen ohne Kinder

Wenn Sie gern kochen, Ihnen mit Kind aber die Ruhe fehlt, fragen Sie Verwandte oder Freunde, ob sie Ihnen das Kind mal abnehmen. Auch kann Ihr Partner oder Ihre Partnerin mit dem Kind spazierengehen oder spielen, und Sie bereiten in Ruhe das Essen zu.

«Mein Mann konnte nie verstehen, warum es mich nervt, ständig bei der Arbeit das Kind dabeizuhaben. Gestern habe ich ihn mal allein mit unserer Tochter gelassen und bin in die Stadt gegangen. Als ich wiederkam, stand das Essen auf dem Tisch, aber mein Mann war ganz schön geschafft. Jetzt versteht er schon eher etwas von meinem Frust.»

Gemeinsam Picknick machen

Bei schönem Wetter können Sie gemeinsam mit anderen Familien ein Picknick planen. In der freien Natur haben die Kinder genug «Auslauf» und lassen Sie in Ruhe essen und sich unterhalten.

Mit anderen zum Baden gehen

Es ist um vieles einfacher, wenn man im Schwimmbad nicht allein mit seinem Kind ist. Die Erwachsenen können sich mit der Aufsicht der Kinder abwechseln und so selbst auch schwimmen und sich in Ruhe aus- und anziehen.

Urlaub mit einer anderen Familie

Für Eltern und Kinder kann es entspannend sein, wenn man mit einer anderen Familie oder mit einer Gruppe in Urlaub fährt. Solch eine Unternehmung ist dann empfehlenswert, wenn die Bedürfnisse ähnlich sind und alle sich gut verstehen. Falls Sie nicht soviel Nähe wollen, mieten Sie zwei Wohnungen.

Großeltern

Untersuchungen zeigen, daß Kinder gern mit älteren Leuten zusammen sind, weil diese sich Zeit nehmen, um ihre Erlebnisse zu erzählen, und genügend Geduld aufbringen, auch dem Kleinen zuzuhören. Ältere Leute sehen ebenfalls im Zusammensein mit Kindern eine Bereicherung. Vielleicht können Sie die Großeltern in Ihr Leben miteinbeziehen.

Lara freut sich, wenn ihr Großvater mit ihr in Ruhe ein Bilderbuch anschaut.

Meine Zeit, das ist mein Leben.
Wem ich eine Stunde meiner Zeit gebe,
dem schenke ich ein Stück von meinem Leben.

Ermutigen Sie Ihr Kind, zu Leuten in der Nachbarschaft Kontakt aufzunehmen, und knüpfen Sie selber Kontakte. Ältere Leute freuen sich oft, wenn sie sich mit anderen unterhalten können.

Nachwort

Mit diesem Buch habe ich Ihnen hoffentlich Mut gemacht, Ihre Kinder in Ihre Alltagstätigkeiten miteinzubeziehen. Das unterstützt die motorische und geistige Entwicklung Ihres Kindes, und gleichzeitig wachsen damit auch Selbständigkeit und Selbstbewußtsein.

Wenn Eltern genügend Zeit haben, ist es einfacher, mit ihren Kindern ihr tägliches Leben zu teilen. Ich wünsche jungen Eltern, daß mehr Teilzeitarbeit sowohl für Frauen als auch für Männer geschaffen wird. Leider geht der Trend heute aber dahin, daß diejenigen, die Arbeit haben, immer länger und mehr arbeiten müssen, während andere arbeitslos werden.

In meinen Eltern-Kind-Gruppen erlebe ich, daß die Erziehung der Kinder wieder verstärkt zur alleinigen Aufgabe der Mütter wird. Die Ansätze der 70er und 80er Jahre, daß Väter mehr Zeit und Verantwortung in die Erziehung einbrachten, scheinen wieder zu verkümmern. Viele Familien, denen es finanziell gutgeht, würden gern auf einen Teil ihres Einkommens verzichten, wenn sie dann mehr Zeit füreinander hätten.

Folgt man den Aussagen neuerer Statistiken, leben fast 50 % der Familien mit Kindern an der Armutsgrenze. Abgesehen von den finanziellen Folgen sind auch Zukunftsängste und Mutlosigkeit die Folge. Die Kinder leiden unter dieser Situation und werden erwiesenermaßen in ihrer Entwicklung und Gesundheit beeinträchtigt.

Familienpolitik heute muß günstigere Voraussetzungen und Entlastungen für junge Familien schaffen, wie sie auch das neue Jugendhilfegesetz fordert. Die Schließung vieler Familienbildungsstätten und die Kürzungen anderer familienfördernder Maßnahmen sind ein Schritt in die falsche Richtung.

Nächstenliebe ist die wichtigste Realpolitik.

Trotz dieser widrigen Rahmenbedingungen wünsche ich Ihnen und Ihren Kindern eine gute Zeit miteinander, mit vielen Anregungen zum beiderseitigen Wachsen. Ich hoffe, daß Sie Ihre Kinder dabei unterstützen, soziale, verantwortungsvolle und umweltbewußte Menschen zu werden.

Literatur

Dreikurs, R. / Soltz, V.: Kinder fordern uns heraus. Klett-Cotta, Stuttgart 1994
von Friesen, A.: Liebe spielt eine Rolle. Reinbek 1995 (rororo Nr. 60153)
Gordon, T.: Die neue Familienkonferenz. München 1994
Gordon, T.: Familienkonferenz. Hamburg 1993
Hilsberg, R.: Meine Suppe eß ich nicht. Reinbek 1995 (rororo Nr. 9901)
Kampmann, G. / Polinski L.: Spiel- und Kontaktgruppen für Eltern mit Kindern von
1–3 Jahren (Arbeitshilfen). DRK Bonn 1997
Koch, J.: Der Einfluß der frühen Bewegungsstimulation auf die motorische und
psychische Entwicklung des Säuglings. Bericht über den 26. Kongreß der deutschen
Gesellschaft für Psychologie. Göttingen 1969
Kubani, D.: Mütterliches Verhalten als Variable im Prager-Eltern-Kind-Programm.
Dissertation an der Psychologischen Fakultät der Karlsuniversität Prag 1997
Lieberman, A.: Ein kleiner Mensch. Rowohlt, Reinbek 1995
Largo, R. H.: Babyjahre. München 1996
Molcho, S.: Körpersprache der Kinder. München 1992
Oerter, R. / Montada, L.: Entwicklungspsychologie. Weinheim 1995
Polinski, L.: Spiel und Bewegung mit Babys. Reinbek 1993 (rororo Nr. 19379)
Ruppelt, H.: Interaktionen in frühester Kindheit, in: Biermann / Wittenbruch,
Soziale Erziehung. Heinsberg 1986
Rogge, J.-U.: Kinder brauchen Grenzen. Reinbek 1994 (rororo Nr. 9366)
Sichtermann, B.: Nein, nein, will nicht. Reinbek 1983 (rororo Nr. 7694)
Sichtermann, B.: Vorsicht Kind. Berlin 1983
Stern, D. N.: Tagebuch eines Babys. München 1996
Thomä, D.: Eltern. München 1995
Zimmer, K.: Schritte ins Leben. München 1991
Zöllner, U.: Die Kinder vom Zürichberg. Zürich 1994